DIETRICH BONHOEFFER

VIDA EN COMUNIDAD

DECIMOTERCERA EDICIÓN

EDICIONES SÍGUEME
SALAMANCA
2019

Tradujo Francisco Tejeda
sobre el original alemán *Gemeinsames Leben*

© Chr. Kaiser Verlag, München 1979
© Ediciones Sígueme S.A., 1982
   C/ García Tejado, 23-27 - E-37007 Salamanca / España
   Tlf.: (+34) 923 218 203 - ediciones@sigueme.es
   www.sigueme.es

Cubierta: imagen digital realizada
por Christian Hugo Martín para Ediciones Sígueme

ISBN: 978-84-301-0893-0
Depósito legal: S. 310-2019
Impreso en España / Unión Europea
Imprenta Kadmos, Salamanca

CONTENIDO

1

LA COMUNIDAD

«¡Qué dulce y agradable es para los hermanos vivir juntos y en armonía!» (Sal 133, 1). Vamos a examinar a continuación algunas enseñanzas y reglas de la Escritura acerca de nuestra vida en común bajo la palabra de Dios.

Al contrario de lo que podría parecer a primera vista, no se deduce que el cristiano tenga que vivir necesariamente entre otros cristianos. El mismo Jesucristo vivió en medio de sus enemigos y, al final, fue abandonado por todos sus discípulos. Se encontró en la cruz solo, rodeado de malhechores y blasfemos. Había venido para traer la paz a los enemigos de Dios. Por esta razón, el lugar de la vida del cristiano no es la soledad del claustro, sino el campamento mismo del enemigo. Ahí está su misión y su tarea. «El reino de Jesucristo debe ser edificado en medio de tus enemigos. Quien rechaza esto renuncia a formar parte de este reino y prefiere vivir rodeado de amigos, entre rosas y lirios, lejos de los malvados, en un círculo de gente piadosa. ¿No veis que así blasfemáis y traicionáis a Cristo? Si Jesús hubiera actuado como vosotros, ¿quién habría podido salvarse?» (Lutero).

«Los dispersaré entre los pueblos; pero, aun lejos, se acordarán de mí» (Zac 10, 9). Es voluntad de Dios que los cristianos sean un pueblo disperso, esparcido como la semilla «entre todos los reinos de la tierra» (Dt 4, 27). Esta es su promesa y su condena. El pueblo de Dios deberá vivir lejos, entre gentes que no comparten su fe, pero será la semilla del reino esparcida en el mundo entero.

«Los reuniré porque los he rescatado... y volverán» (Zac 10, 8-9). ¿Cuándo sucederá esto? Ha sucedido ya en Jesucristo, que murió «para reunir en uno a todos los hijos de Dios dispersos» (Jn 11, 52), y se hará visible al final de los tiempos, cuando los ángeles de Dios «reúnan a los elegidos de los cuatro vientos, desde un extremo al otro de los cielos» (Mt 24, 31). Hasta entonces, el pueblo de Dios permanecerá disperso. Solamente Jesucristo impedirá su disgregación; lejos, entre los no cristianos, les mantendrá unidos el recuerdo de su Señor.

El hecho de que, en el tiempo comprendido entre la muerte de Jesucristo y el último día, los cristianos puedan vivir con otros cristianos en una comunidad visible ya sobre la tierra no es sino una anticipación misericordiosa del reino que ha de venir. Es Dios, en su gracia, quien permite la existencia en el mundo de una comunidad así, reunida alrededor de la palabra y del sacramento. Pero esta gracia no es accesible a todos los creyentes. Los encarcelados, los enfermos, los aislados en la dispersión o los misioneros se encuentran solos. Ellos saben que la existencia de la comunidad visible es una gracia. Por eso su plegaria es la misma del salmista: «Recuerdo con emoción cuando marchaba al frente de la multitud hacia la casa de Dios entre gritos de alegría y alabanza de un pueblo en fiesta» (Sal 42, 5). Sin embargo, permanecen solos como la semilla que Dios ha querido esparcir. No obstante, captan intensamente por la fe cuanto les es negado como experiencia sensible. De esta forma el apóstol Juan, desterrado en la soledad de la isla de Patmos, celebra el culto celestial «en espíritu, el día del Señor» (Ap 1, 10), con todas las Iglesias. Los siete candelabros que ve son las Iglesias; las siete estrellas, sus respectivos ángeles; en el centro, dominándolo todo, Jesucristo, el Hijo del hombre, en la gloria de su resurrección. Juan es fortalecido y consolado por su palabra. Esta es la comunidad celestial que, en el día del Señor, puebla la soledad del apóstol desterrado.

Pese a todo, la presencia sensible de los hermanos es para el cristiano fuente incomparable de alegría y consuelo. Prisionero y al final de sus días, el apóstol Pablo no puede por menos de llamar a Timoteo, «su amado hijo en la fe», para volver a verlo y tenerlo a su lado. No ha olvidado las lágrimas de

Timoteo en la última despedida (2 Tim 1, 4). En otra ocasión, pensando en la Iglesia de Tesalónica, Pablo ora a Dios «noche y día con gran ansia para volver a veros» (1 Tes 3, 10); y el apóstol Juan, ya anciano, sabe que su gozo no será completo hasta que no esté junto a los suyos y pueda hablarles de viva voz, en vez de con papel y tinta (2 Jn 12). El creyente no se avergüenza ni se considera demasiado carnal por desear ver el rostro de otros creyentes. El hombre fue creado con un cuerpo, en un cuerpo apareció por nosotros el Hijo de Dios sobre la tierra, en un cuerpo fue resucitado; en el cuerpo el creyente recibe a Cristo en el sacramento, y la resurrección de los muertos dará lugar a la plena comunidad de los hijos de Dios, formados de cuerpo y espíritu.

A través de la presencia del hermano en la fe, el creyente puede alabar al Creador, al Salvador y al Redentor, Dios Padre, Hijo y Espíritu Santo. El prisionero, el enfermo, el cristiano aislado reconocen en el hermano que les visita un signo visible y misericordioso de la presencia de Dios trino. Es la presencia real de Cristo lo que ellos experimentan cuando se ven, y su encuentro es un encuentro gozoso. La bendición que mutuamente se dan es la del mismo Jesucristo. Ahora bien, si el mero encuentro entre dos creyentes produce tanto gozo, ¡qué inefable felicidad no sentirán aquellos a los que Dios permite vivir continuamente en comunidad con otros creyentes! Sin embargo, esta gracia de la comunidad, que el aislado considera como un privilegio inaudito, con frecuencia es desdeñada y pisoteada por aquellos que la reciben diariamente. Olvidamos fácilmente que la vida entre cristianos es un don del reino de Dios que nos puede ser arrebatado en cualquier momento y que, en un instante también, podemos ser abandonados a la más completa soledad. Por eso, a quien le haya sido concedido experimentar esta gracia extraordinaria de la vida comunitaria ¡que alabe a Dios con todo su corazón; que, arrodillado, le dé gracias y confiese que es una gracia, sólo gracia!

La medida en que Dios concede el don de la comunión visible varía. Una visita, una oración, un gesto de bendición, una simple carta, resulta suficiente para dar al cristiano aislado la certeza de que nunca está solo. El saludo que el apóstol Pablo escribía personalmente en sus cartas ciertamente era un signo de comunión visible. Algunos experimentan la gracia de la comunidad en el culto dominical; otros, en el seno de una familia creyente. Los estudiantes de teología gozan durante sus estudios de una vida comunitaria más o menos intensa. Y actualmente los cristianos más sinceros sienten necesidad de participar en «retiros» para convivir con otros creyentes bajo la palabra de Dios. Los cristianos de hoy están redescubriendo que la vida comunitaria es verdaderamente la gracia que siempre fue, algo extraordinario, «el momento de descanso entre los lirios y las rosas» al que se refería Lutero.

La comunidad cristiana

Comunidad cristiana significa comunión en Jesucristo y por Jesucristo. Ninguna comunidad cristiana podrá ser más ni menos que eso. Y esto es válido para todas las formas de comunidad que puedan formar los creyentes, desde la que nace de un breve encuentro hasta la que resulta de una larga convivencia diaria. Si podemos ser hermanos es únicamente por Jesucristo y en Jesucristo.

Esto significa, en primer lugar, que Jesucristo es el que fundamenta la necesidad que los creyentes tienen unos de otros. En segundo lugar, que únicamente Jesucristo hace posible su comunión. Y, por último, que Jesucristo nos ha elegido desde toda la eternidad para que nos acojamos durante nuestra vida y nos mantengamos unidos siempre.

Comunidad de creyentes. El cristiano es el hombre que ya no busca su salvación, su libertad y su justicia en sí mismo, sino únicamente en Jesucristo. Sabe que la palabra de Dios en Jesucristo lo declara culpable aunque él no tenga conciencia de su culpabilidad, y que esta misma palabra lo absuelve y justifica aun cuando no tenga conciencia de su propia justicia. El cristiano ya no vive por sí mismo, de su autoacusación y su autojustificación, sino de la acusación y justificación que provienen de Dios. Vive absolutamente sometido a la palabra que Dios pronuncia sobre él declarándole culpable o justo. El sentido de su vida y de su muerte ya no lo busca en el propio corazón, sino en la palabra que le llega desde fuera, de parte de Dios.

Este es el sentido de aquella afirmación de los reformadores: nuestra justicia es una «justicia extranjera», que viene de fuera (*extra nos*). Con esto nos remiten a la palabra que Dios mismo nos dirige y que nos interpela desde fuera. El cristiano vive íntegramente de la verdad de la palabra de Dios en Jesucristo. Cuando se le pregunta: «¿Dónde está tu salvación, tu bienaventuranza, tu justicia?», nunca podrá señalarse a sí mismo, sino que señalará a la palabra de Dios en Jesucristo. Esta palabra le obliga a volverse continuamente hacia el exterior, de donde únicamente puede venirle esa gracia justificante que espera cada día como comida y bebida. En sí mismo no encuentra sino pobreza y muerte, y si hay socorro para él, sólo podrá venirle de fuera. Pues bien, esta es la buena noticia: el socorro ha venido y se nos ofrece cada día en la palabra de Dios que, en Jesucristo, nos trae liberación, justicia, inocencia y felicidad.

Esta palabra ha sido puesta por Dios en boca de los hombres para que sea comunicada a los hombres y transmitida entre ellos. Quien es alcanzado por ella no puede por menos de transmitirla a otros. Dios ha querido que busquemos y hallemos su palabra en el testimonio del hermano, en la palabra humana. El cristiano, por consiguiente, tiene absoluta necesidad de otros cristianos; son quienes de verdad

pueden quitarle siempre sus incertidumbres y deses-
peranzas. Quien quiere arreglárselas por sí mismo
no hará sino extraviarse más. Necesita del hermano
como portador y anunciador de la palabra divina de
salvación. Lo necesita a causa de Jesucristo. Porque
el Cristo que llevamos en nuestro propio corazón
es más frágil que el Cristo en la palabra del hermano. Este es cierto; aquel, incierto. Así queda clara la
meta de toda comunidad cristiana: permitir nuestro
encuentro para que nos revelemos mutuamente la
buena noticia de la salvación. Esta es la intención de
Dios al reunirnos. En una palabra, la comunidad cristiana es obra exclusivamente de Jesucristo y de su
justicia «extranjera». Por tanto, la comunidad de dos
creyentes es el fruto de la justificación del hombre
por la sola gracia de Dios, tal y como se proclama en
la Biblia y nos enseñan los reformadores. Esta es la
buena noticia que fundamenta la necesidad que tienen los cristianos unos de otros.

Cristo mediador. Este encuentro, esta comunidad,
solamente es posible por mediación de Jesucristo.
Los hombres están divididos por la discordia. Pero
«Jesucristo es nuestra paz» (Ef 2, 14). En él la comunidad dividida encuentra su unidad. Sin él hay discordia entre los hombres y entre estos y Dios. Cristo
es el mediador entre Dios y los hombres. Sin él, no
podríamos conocer a Dios, ni invocarle, ni llegarnos
a él; tampoco podríamos reconocer a los hombres

como hermanos ni acercarnos a ellos. El camino está bloqueado por el propio «yo». Cristo, sin embargo, ha franqueado el camino obstruido, de forma que, en adelante, los suyos puedan vivir en paz no solamente con Dios, sino también entre ellos. Ahora los cristianos pueden amarse y ayudarse mutuamente; pueden llegar a ser un solo cuerpo. Pero sólo es posible por medio de Jesucristo. Solamente él hace posible nuestra unión y crea el vínculo que nos mantiene unidos. Él es para siempre el único mediador que nos acerca a Dios y a los hermanos.

La comunidad de Jesucristo. En Jesucristo hemos sido elegidos para siempre. La encarnación significa que, por pura gracia y voluntad de Dios trino, el Hijo de Dios se hizo carne y aceptó real y corporalmente nuestra naturaleza, nuestro ser. Desde entonces, nosotros estamos en él. Lleva nuestra carne, nos lleva consigo. Nos tomó con él en su encarnación, en la cruz y en su resurrección. Formamos parte de él porque estamos en él. Por esta razón la Sagrada Escritura nos llama el cuerpo de Cristo. Ahora bien, si antes de poder saberlo y quererlo hemos sido elegidos y adoptados en Jesucristo con toda la Iglesia, esta elección y esta adopción significan que le pertenecemos eternamente, y que un día la comunidad que formamos sobre la tierra será una comunidad eterna junto a él. En presencia de un hermano debemos saber que nuestro destino es estar unidos con él en Jesucristo por toda la eternidad. Repitámoslo: comunidad cristiana significa comunidad en y por Jesucristo. Sobre este principio descansan todas las enseñanzas y reglas de la Escritura, referidas a la vida comunitaria de los cristianos.

«Acerca del amor fraterno no tenéis ninguna necesidad de que os escriba, porque vosotros mismos habéis aprendido de Dios a amaros unos a otros... No obstante, os rogamos, hermanos, que abundéis en ello más y más» (1 Tes 4, 9-10). Dios mismo se encarga de instruirnos en el amor fraterno; todo cuanto nosotros podamos añadir a esto no será sino recordar la instrucción divina y exhortar a perseverar en ella. Cuando Dios se hizo misericordioso revelándonos a Jesucristo como hermano, ganándonos para su amor, comenzó también al mismo tiempo a instruirnos en el amor fraternal. Su misericordia nos ha enseñado a ser misericordiosos; su perdón, a perdonar a nuestros hermanos. Debemos a nuestros hermanos cuanto Dios hace en nosotros. Por tanto, recibir significa al mismo tiempo dar, y dar tanto cuanto se haya recibido de la misericordia y del amor de Dios. De este modo, Dios nos enseña a acogernos como él mismo nos acogió en Cristo. «Acogeos, pues, unos a otros como Cristo os acogió» (Rom 15, 7).

A partir de ahí, y llamados por Dios a vivir con otros cristianos, podemos comprender qué significa tener hermanos. «Hermanos en el Señor» (Flp 1, 14) llama Pablo a los suyos de Filipos. Sólo mediante

Jesucristo nos es posible ser hermanos unos de otros. Yo soy hermano de mi prójimo gracias a lo que Jesucristo hizo por mí, y a su vez mi prójimo se ha convertido en mi hermano gracias a lo que Jesucristo hizo por él. Todo esto es de una enorme trascendencia. Porque significa que mi hermano, en la comunidad, no es tal persona piadosa necesitada de fraternidad, sino la persona que Jesucristo ha salvado, a quien ha perdonado los pecados y ha llamado, como a mí, a la fe y a la vida eterna.

Por tanto, lo decisivo aquí, lo que verdaderamente fundamenta nuestra comunidad, no es lo que nosotros podamos ser en nosotros mismos, con nuestra vida interior y nuestra piedad, sino aquello que somos por el poder de Cristo. Nuestra comunidad cristiana se construye únicamente por el acto redentor del que somos objeto. Y esto no solamente es verdadero para sus comienzos, de tal manera que pudiera añadirse algún otro elemento con el paso del tiempo, sino que sigue siendo así en todo tiempo y para toda la eternidad. Solamente Jesucristo fundamenta la comunidad que nace, o nacerá un día, entre dos creyentes. Cuanto más auténtica y profunda llegue a ser, tanto más retrocederán nuestras diferencias personales, y con tanta mayor claridad se hará patente para nosotros la única y sola realidad: Jesucristo y lo que él ha hecho por nosotros. Únicamente por él nos pertenecemos unos a otros real y totalmente, ahora y por toda la eternidad.

LA FRATERNIDAD CRISTIANA

En adelante, debemos renunciar al turbio anhelo que, en este ámbito, nos empuja siempre a desear algo más. Desear algo más que lo que Cristo ha fundado entre nosotros no es desear la fraternidad cristiana, sino ir en busca de quién sabe qué experiencias extraordinarias que uno piensa que va a encontrar en la comunidad cristiana y que no ha encontrado en otra parte, introduciendo así en la comunidad el turbador fermento de los propios deseos.

Es precisamente en este aspecto donde la fraternidad cristiana se ve amenazada –casi siempre y ya desde sus comienzos– por el más grave de los peligros: la intoxicación interna provocada por la confusión entre fraternidad cristiana y un sueño de comunidad piadosa; por la mezcla de una nostalgia comunitaria –tan habitual entre las personas religiosas– y la realidad espiritual de la hermandad cristiana. Por eso es importante adquirir conciencia desde el principio de que, *en primer lugar*, la fraternidad cristiana no es un ideal humano, sino una realidad dada por Dios; y *en segundo lugar*, que esta realidad es de orden espiritual y no de orden psíquico.

Muchas han sido las comunidades cristianas que han fracasado por haber vivido con una imagen quimérica de comunidad. Es comprensible que el cristiano, cuando entra en la comunidad, lleve consigo un ideal de lo que esta debe ser y que trate de realizarlo. Sin embargo, la gracia de Dios destruye constantemente esta clase de sueños. Decepcionados por los demás y por nosotros mismos, Dios nos va llevando al conocimiento de la auténtica comunidad cristiana. En su gracia, no permite que vivamos ni siquiera unas semanas en la comunidad de nuestros sueños, en esa atmósfera de experiencias embriagadoras y de exaltación piadosa que nos arrebata. Porque Dios no es un dios de emociones sentimentales, sino el Dios de la realidad. Por eso, sólo la comunidad que, consciente de sus tareas, no sucumbe a la gran decepción, comienza a ser lo que Dios quiere, y alcanza por la fe la promesa que le fue hecha. Cuanto antes llegue esta hora de desilusión para la comunidad y para el mismo creyente, tanto mejor para ambos. Querer evitarlo a cualquier precio y pretender aferrarse a una imagen quimérica de comunidad, destinada de todos modos a desinflarse, es construir sobre arena y condenarse más tarde o más temprano a la ruina.

Debemos persuadirnos de que nuestros sueños de comunidad humana, introducidos en la comunidad, son un auténtico peligro y han de ser destruidos, so pena de muerte para la comunidad. Quien prefiere el propio sueño a la realidad se convierte en un destructor de la comunidad, por más honestas, serias y sinceras que sean sus intenciones personales.

Dios aborrece los ensueños piadosos porque nos hacen duros y pretenciosos. Nos hacen exigir lo imposible a Dios, a los demás y a nosotros mismos. Nos erigen en jueces de los hermanos y de Dios mismo. Nuestra presencia es para los demás un reproche vivo y constante. Nos conducimos como si nos correspondiera a nosotros crear una sociedad cristiana que antes no existía, adaptada a la imagen ideal que cada uno tiene. Y cuando las cosas no salen como a nosotros nos gustaría, hablamos de falta de colaboración, convencidos de que la comunidad se hunde cuando vemos que nuestro sueño se derrumba. De este modo, comenzamos por acusar a los hermanos, después a Dios y, finalmente, desesperados, dirigimos nuestra amargura contra nosotros mismos.

Todo lo contrario sucede cuando estamos convencidos de que Dios mismo ha puesto el fundamento único sobre el que edificar nuestra comunidad y de que, antes de cualquier iniciativa por nuestra parte, nos ha unido en un solo cuerpo por Jesucristo; pues entonces no entramos en la vida en común con exigencias, sino agradecidos de corazón y en actitud de recibir. Damos gracias a Dios por todo lo que él ha obrado en nosotros. Le agradecemos que nos haya dado hermanos que viven, ellos también, bajo su llamada, bajo su perdón, bajo su promesa. No nos quejamos por aquello que no nos da, sino que le damos gracias por cuanto nos concede cada día. Nos da hermanos llamados a compartir nuestra vida pecadora bajo la bendición de su gracia. ¿No es suficiente? ¿No nos concede cada día, incluso en los más difíciles y amenazadores, esta presencia incomparable? Cuando la vida en comunidad está gravemente amenazada por el pecado y la incomprensión, el hermano, aunque pecador, sigue siendo mi hermano. Estoy con él bajo la palabra de Cristo, y su pecado puede ser para mí una nueva ocasión de bendecir a Dios por permitirnos vivir bajo su gracia. La hora de la gran decepción por causa de los hermanos puede representar para todos nosotros un momento verdaderamente saludable, pues nos hace comprender que no podemos vivir de nuestras propias palabras ni de nuestras obras, sino únicamente de la palabra y de la obra que de verdad nos une a unos con otros, a saber: el perdón de nuestros pecados por Jesucristo. Por tanto, la verdadera comunidad cristiana nace cuando, dejándonos de ensueños, nos abrimos a la realidad que nos ha sido dada.

LA GRATITUD

Igual que sucede a nivel individual, la gratitud es esencial en la vida cristiana comunitaria. Dios concede lo mucho a quien sabe agradecer lo poco que recibe cada día. Precisamente nuestra falta de gratitud impide que Dios nos conceda los grandes dones espirituales que nos tiene reservados. Pensamos que no debemos darnos por satisfechos con la pequeña medida de sabiduría, de experiencia y de caridad cristianas que nos ha sido concedida. Nos lamentamos de no haber recibido la misma certidumbre y la misma riqueza de experiencia que otros cristianos, y nos parece que estas quejas son un signo de piedad. Oramos para que se nos concedan grandes cosas y nos olvidamos de agradecer las pequeñas (¿pequeñas?) que recibimos cada día. ¿Cómo va a conceder Dios lo grande a quien no sabe recibir con gratitud lo pequeño?

Todo esto es también aplicable a la vida de comunidad. Debemos dar gracias a Dios cada día por la comunidad cristiana a la que pertenecemos. Aunque no tenga nada que ofrecernos, aunque sea pecadora y de fe vacilante, ¡qué importa! Pero si no hacemos más que quejarnos ante Dios porque todo es tan miserable, tan mezquino, tan poco conforme con lo que habíamos esperado, estamos impidiendo que Dios haga crecer nuestra comunidad según la medida y riqueza que nos ha dado en Jesucristo.

Esto concierne de un modo especial a esa actitud permanente de queja de ciertos pastores y miembros «piadosos» respecto a sus comunidades. Un pastor no debe quejarse jamás de su comunidad, ni siquiera ante Dios. No le ha sido confiada la comunidad para que se convierta en su acusador ante Dios y ante los hombres. Cualquier miembro que cometa el error de acusar a su comunidad debería preguntarse primero si no es precisamente Dios quien destruye la quimera que él se había fabricado. Si es así, que le dé gracias por esta tribulación. Y si no lo es, que se guarde de acusar a la comunidad de Dios; que se acuse más bien a sí mismo por su falta de fe; que pida a Dios que le

haga comprender en qué ha desobedecido o pecado y
le libre de ser un escándalo para los otros miembros
de la comunidad; que ruegue por ellos, además de por
sí mismo, y que, además de cumplir lo que Dios le ha
encomendado, le dé gracias.

Con la comunidad cristiana ocurre lo mismo que
con la santificación de nuestra vida personal. Es un
don de Dios al que no tenemos derecho. Sólo Dios
sabe cuál es la situación de cada uno. Lo que a nosotros nos parece insignificante puede ser muy importante a los ojos de Dios. Así como el cristiano no debe
estar preguntándose constantemente por el estado de
su vida espiritual, tampoco Dios nos ha dado la comunidad para que estemos constantemente midiendo
su temperatura. Cuanto mayor sea nuestro agradecimiento por lo recibido en ella cada día, tanto mayor
será su crecimiento para agrado de Dios.

La espiritualidad de la comunidad cristiana

La fraternidad cristiana no es un ideal que reali-
zar, sino una realidad creada por Dios en Cristo, de
la que él nos permite participar. En la medida en que
aprendamos a reconocer que Jesucristo es verdaderamente el fundamento, el motor y la promesa de nuestra comunidad, aprenderemos a pensar en ella, a orar
y esperar por ella, con serenidad.

Fundada únicamente en Jesucristo, la comunidad
cristiana no es una realidad de orden *psíquico*, sino

de orden *espiritual*. En esto precisamente se distingue de todas las demás comunidades. La Sagrada Escritura entiende por «espiritual» el don del Espíritu Santo que nos hace reconocer a Jesucristo como Señor y Salvador. Por «psíquico» entiende, en cambio, aquello que es expresión de nuestros deseos, de nuestras fuerzas y de nuestras posibilidades naturales en nuestra alma.

Toda realidad de orden espiritual descansa sobre la palabra clara y evidente que Dios nos ha revelado en Jesucristo. Por el contrario, el fundamento de la realidad psíquica es el conjunto confuso de las pasiones y los deseos que agitan el alma humana. El fundamento de la comunidad espiritual es la verdad revelada; el de la comunidad psíquica, el ser humano y sus deseos. Esencia de la primera es la luz «porque Dios es luz y en él no hay tinieblas» (1 Jn 1, 5), y «si andamos en la luz, como él está en la luz, estamos en comunión los unos con los otros» (1 Jn 1, 7). Esencia de la segunda, las tinieblas –«porque de dentro del corazón del hombre proceden los malos pensamientos» (Mc 7, 21)– que envuelven toda iniciativa humana, incluyendo los impulsos religiosos.

Comunidad espiritual es la comunión de todos los llamados por Cristo, comunidad psíquica es la comunión de las almas «piadosas». La una es el ámbito de la transparencia, de la caridad fraterna, del *ágape*; la otra, del *eros*, del amor más o menos desinteresado, del equívoco perpetuo. La una implica el servicio fraterno ordenado; la otra, la codicia. La primera se caracteriza por una actitud de humildad y de sumisión hacia los hermanos; la segunda, por una servidumbre más o menos hipócrita a los propios deseos. En la comunidad espiritual únicamente es la palabra de Dios la que domina; en la comunidad «piadosa» es el hombre quien, junto a la palabra de Dios, pretende dominar con su experiencia, su fuerza, su capacidad de sugestión y su magia religiosa. En aquella sólo obliga la palabra de Dios; en ésta, los hombres pretenden además sujetarnos a sí mismos. Y así, mientras una se deja conducir por el Espíritu Santo, en la otra se buscan y cultivan esferas de poder e influencia de orden personal –entre protestas de pureza de intenciones– que destronan al Espíritu Santo, alejándolo prudentemente; porque aquí la única realidad es lo «psíquico», es decir, la psicotécnica, el método psicológico o psicoanalítico, aplicado científicamente, y donde el prójimo se convierte en objeto de experimentación. En la comunidad cristiana auténtica, por el contrario, es el Espíritu Santo, único maestro, quien hace posible una caridad y un servicio en estado puro, despojado de todo artificio psicológico.

Intentemos ilustrar con mayor claridad el contraste entre la comunidad espiritual y la comunidad psíquica. En la comunidad espiritual no existe, en ningún caso, una relación «directa» entre las personas que integran la comunidad, mientras que en la comunidad psíquica se suele dar un anhelo profundo y del todo instintivo de una comunión directa y auténticamente carnal. En efecto, de forma instintiva el alma humana busca otra alma con quien confundirse, ya sea en el plano amoroso, ya sea –lo que viene a ser lo mismo– en el sometimiento del prójimo a la propia voluntad de poder. Tal es el esfuerzo extenuante del fuerte en busca de la admiración, el amor o el temor del débil. Obligaciones, influencias y servidumbre lo son todo aquí; y terminan degenerando en la caricatura de la auténtica comunidad en la que Cristo es el mediador.

Existe una conversión de orden «psíquico». Esta se presenta con todas las apariencias de una auténtica conversión. Es lo que sucede cuando un hombre, abusando conscientemente de su poder personal, consigue inquietar profundamente y someter a un individuo o incluso a una comunidad entera. ¿Qué ha sucedido? El alma ha actuado directamente sobre otras almas y se ha producido un verdadero acto de violencia del fuerte sobre el débil, quien, bajo la presión experimentada, termina por sucumbir. Pero sucumbe a un hombre, no a la causa en sí. Esto se demuestra con claridad en el momento en que se requiere un sacrificio por la causa, independiente de la persona a la que está sometido o en contradicción con la voluntad de éste. Aquí el convertido «psíquicamente» falla de manera estrepitosa, manifestando así que su conversión no era obra del Espíritu Santo, sino obra humana; por tanto, una ilusión.

También existe un amor al prójimo de orden puramente «psíquico». Capaz de los más inauditos sacrificios, se entrega con tal ardor a las realidades tangibles, que a menudo supera la auténtica caridad cristiana. Además, se consume y subyuga. Sin embargo, es de este amor del que el apóstol dice: «Aunque distribuyese todos mis bienes entre los pobres y entregase mi cuerpo a las llamas –es decir, si alcanzase la cumbre del amor y el sacrificio–, si no tuviera caridad, de nada me serviría» (1 Cor 13, 3).

El amor de orden psíquico ama al otro por sí mismo, mientras que el amor de orden espiritual lo ama por Cristo. De ahí que el amor psíquico corre el peligro de buscar un contacto directo con el amado sin respetar su libertad; considerándolo como su bien, intenta conseguirlo por todos los medios. Se siente irresistible y quiere dominar. Un amor de esta clase hace caso omiso de la verdad; la relativiza porque nada, ni siquiera la misma verdad, debe interponerse entre él y la persona amada. El amor psíquico es ansia, no servicio; se desea al prójimo, su compañía, su amor. Es deseo aun allí donde todas las apariencias hablan de servicio.

En dos aspectos –que en realidad no son más que uno– se manifiesta la diferencia entre amor espiritual y amor psíquico: el amor psíquico no soporta que, en nombre de la verdadera comunidad, se destruya la falsa comunidad que él ha imaginado; y es incapaz de amar a su enemigo, es decir, a quien se le oponga seria y obstinadamente. Ambas reacciones surgen de la misma fuente: el amor psíquico es esencialmente deseo, y lo que desea es una comunidad a su medida. Mientras encuentre medios para satisfacer este deseo, no lo abandonará ni por la misma verdad o la verdadera caridad. Cuando no pueda satisfacerlo, habrá llegado al final de sus posibilidades y se encontrará en un ambiente hostil. Entonces se trocará fácilmente en odio, desprecio y calumnia.

Aquí es precisamente donde entra en escena el amor de orden espiritual, en el que lo propio es servir y no desear. Ante su presencia, el amor puramente psíquico se convierte en odio. Porque lo propio del amor psíquico es buscarse a sí mismo y convertirse en ídolo que exige adoración y sumisión total. Es incapaz de consagrar su atención y su interés a algo que no sea él mismo. El amor espiritual, en cambio, cuya raíz es Jesucristo, le sirve sólo a él y sabe que no hay otro acceso directo al prójimo. Cristo está entre el prójimo y yo. Yo no sé de antemano, basándome en un concepto general de amor y en una nostalgia interior, lo que es el amor al prójimo –para Cristo tal sentimiento podría no ser sino odio o la forma más refinada de egoísmo–, sino que es únicamente Cristo quien me lo dice en su palabra. En contra de mis ideas y convicciones personales, él me dice cómo puedo amar verdaderamente a mi hermano. Por eso el amor espiritual no acepta otra atadura que la palabra de su Señor. Cristo puede exigirme,

en nombre de su caridad y su verdad, que mantenga
o rompa el lazo que me une a otros. En ambos casos
debo obedecer a pesar de todas las protestas de mi
corazón. El amor espiritual se extiende también a los
enemigos, porque quiere servir y no ser servido. No
nace este amor del hombre, ya sea amigo o enemigo, sino de Cristo y su palabra. Procede del cielo,
por eso el amor meramente terrestre es incapaz de
comprenderle, para él es algo extraño, una novedad
incomprensible.

Entre mi prójimo y yo está Cristo. Por eso no me
está permitido desear una comunidad directa con mi
prójimo. Únicamente Cristo puede ayudarle, como
únicamente Cristo ha podido ayudarme a mí. Esto
significa que debo renunciar a mis intentos apasio-
nados de manipular, forzar o dominar a mi prójimo.
Mi prójimo quiere ser amado tal y como es, independientemente de mí, es decir, como aquel por quien
Cristo se hizo hombre, murió y resucitó; como aquel
a quien Cristo perdonó y destinó a la vida eterna. En
vista de que, antes de toda intervención por mi parte,
Cristo ha actuado decisivamente en él, debo dejar
libre a mi prójimo para el Señor, a quien pertenece, y
cuya voluntad es que yo lo reconozca así. Esto es lo
que queremos decir cuando afirmamos que no podemos encontrar al prójimo sino por medio de Cristo.
El amor psíquico crea su propia imagen del prójimo,
de lo que es y de lo que debe ser; pretende manipular su vida. El amor espiritual, en cambio, parte de

Cristo para conocer la verdadera imagen del hombre; la imagen que Cristo ha acuñado y quiere acuñar con su sello.

Por eso el amor espiritual se caracteriza, en todo lo que dice y hace, por su preocupación de situar al prójimo delante de Cristo. No busca actuar sobre la emotividad del otro dando a su acción un carácter demasiado personal y directo; renunciará a introducirse indiscretamente en la vida del otro y a complacerse en manifestaciones puramente sentimentales y exaltadas de la piedad. Se contentará con dirigirse al prójimo con la palabra transparente de Dios, dispuesto a dejarle a solas con ella para que Cristo pueda actuar sobre él con entera libertad. Respetará la frontera que Cristo ha querido interponer entre nosotros y se contentará con la comunidad fundada en Cristo, el único que nos relaciona y une verdaderamente. Así hablará más con Cristo del hermano, que con el hermano de Cristo. Porque sabe que el camino más corto para acceder a los otros pasa siempre por la oración, y que el amor al prójimo está indisolublemente unido a la verdad en Cristo. Este es el amor que hace decir al apóstol Juan: «no hay para mí mayor alegría que oír de mis hijos que andan en la verdad» (3 Jn 4).

El amor psíquico vive del deseo turbador incontrolado e incontrolable; el amor espiritual vive en la claridad del servicio que le asigna la *verdad.* El uno esclaviza, encadena y paraliza al hombre; el otro le hace *libre* bajo la autoridad de la palabra. El uno cultiva flores de invernadero; el otro produce *frutos* saludables que crecen, por voluntad de Dios, en libertad bajo el cielo, expuestos a la lluvia, al sol y al viento.

LA COMUNIDAD FORMA PARTE DE LA IGLESIA CRISTIANA

Es de vital importancia para toda comunidad cristiana lograr distinguir a tiempo entre ideal humano y realidad de Dios, entre comunidad de orden psíquico y comunidad de orden espiritual. Por eso es cuestión de vida o muerte alcanzar cuanto antes una visión lúcida a este respecto. En otras palabras, la vida de una comunidad bajo la autoridad de la palabra sólo se mantendrá vigorosa en la medida en que renuncie a querer ser un movimiento, una sociedad, una agrupación religiosa, un *collegium pietatis,* y acepte scr parte de la Iglesia cristiana, una, santa y universal, participando activa o pacientemente en las angustias, las luchas y la promesa de toda la Iglesia. Por eso toda tendencia separatista que no esté objetivamente justificada por circunstancias locales, una tarea común o alguna otra razón parecida, constituye un gravísimo peligro para la vida de la comunidad a quien priva de eficacia espiritual, empujándola hacia el sectarismo. Excluir de la comunidad al hermano frágil e insignificante, con el pretexto de que no se puede hacer nada con él, puede suponer, nada menos, la exclusión del mismo Cristo, que llama a nuestra puerta bajo el aspecto de ese hermano miserable. Esto nos debe inducir a proceder con sumo cuidado.

Podría parecer a primera vista que la confusión entre ideal y realidad, entre psíquico y espiritual, tendría que darse más bien en comunidades como el matrimonio, la familia o la amistad, donde lo psíquico juega desde el principio un papel esencial y donde lo espiritual no se añade sino después. Resultaría así que el peligro de confusión de esas dos realidades no existiría sino para ese tipo de asociaciones, y que sería prácticamente inexistente en una comunidad de carácter puramente espiritual. Pensar así es cometer un grave error. La experiencia y un examen objetivo de la realidad prueban exactamente lo contrario. Generalmente, en el matrimonio, en la familia o en la amistad cada uno es consciente de sus verdaderas posibilidades con respecto a la vida en común; estas formas de sociedades humanas, cuando permanecen sanas, permiten distinguir muy bien dónde se encuentra el límite entre lo psíquico y lo espiritual. Hacen que seamos conscientes de la diferencia que hay entre estos dos órdenes de la realidad. Y a la inversa, es precisamente en la comunidad de orden puramente espiritual donde es de temer más una irrupción desordenada y sutil del elemento psíquico. Creemos que esta clase de comunidad es no solamente peligrosa sino que constituye además un fenómeno absolutamente *anormal*. Donde la vida familiar, el trabajo en común, en suma, la existencia diaria con todas sus exigencias, no ocupan su lugar, son especialmente necesarias la vigilancia y la sangre fría. La experiencia demuestra que los pequeños momentos de ocio son los más propicios a la irrupción de lo psíquico. Es muy fácil despertar una embriaguez comunitaria entre la gente llamada a vivir algunos días la vida en común; pero es una empresa extremadamente peligrosa para la vida diaria que estamos llamados a vivir en una fraternidad sana y lúcida.

LA UNIÓN CON JESUCRISTO

Probablemente no exista ningún cristiano a quien Dios no conceda, al menos una vez en la vida, la gracia de *experimentar* la felicidad que da una verdadera comunidad cristiana. Sin embargo, tal experiencia constituye un acontecimiento excepcional añadido gratuitamente al pan diario de la vida cristiana en común. No tenemos derecho a exigir tales experiencias, ni convivimos con otros cristianos gracias a ellas. Más que la experiencia de la fraternidad cristiana, lo que nos mantiene unidos es la fe firme y segura que tenemos en esa fraternidad. El hecho de que Dios haya actuado y siga queriendo obrar en todos nosotros es lo que aceptamos por la fe como su mayor regalo; lo que nos llena de alegría y gozo; lo que nos permite poder renunciar a todas las experiencias a las que él quiere que renunciemos.

«¡Qué dulce y agradable es para los hermanos vivir juntos y en armonía!» (Sal 133, 1). Así celebra la Sagrada Escritura la gracia de poder vivir unidos bajo la autoridad de la palabra. Interpretando más exactamente la expresión «en armonía», ahora podemos decir: es dulce para los hermanos vivir juntos *por Cristo*, porque únicamente Jesucristo es el vínculo que nos une. «Él es nuestra paz». Sólo por él tenemos acceso los unos a los otros y nos regocijamos unidos en el gozo de la comunidad reencontrada.

2
EL DÍA EN COMÚN

> Al amanecer, con alabanza;
> con plegarias al atardecer,
> nuestra pobre voz, Señor,
> te glorifica eternamente.
>
> (Lutero siguiendo a Ambrosio)

EL CULTO DE LA MAÑANA

«La palabra de Cristo habite entre vosotros abundantemente» (Col 3, 16). En el Antiguo Testamento, el día empieza al anochecer y termina con la siguiente puesta del sol. Es el tiempo de la espera. Para la comunidad del Nuevo Testamento, el día comienza al rayar el alba y termina con la aurora del día siguiente. Es el tiempo del cumplimiento, de la resurrección del Señor. Cristo nació de noche: una luz en las tinieblas, y en el momento de su muerte en la cruz, el sol se oscureció; sin embargo, con el amanecer del día de Pascua, surge victorioso de la tumba:

> Al amanecer, cuando sale el sol,
> resucita Cristo, mi salvador,
> se desvanece la noche del pecado:
> regresan la luz, la vida y la salvación.
> ¡Aleluya! (Heermann).

37

Así cantaba la Iglesia de la Reforma. Cristo es «el sol de justicia» que se ha levantado sobre la comunidad expectante (Mal 4, 2), y «los que le aman serán como el sol cuando sale con todo su esplendor» (Jue 5, 31). Las primeras horas de la mañana pertenecen por tanto a la comunidad de Cristo resucitado. Al rayar el día, conmemora aquella mañana en que la muerte, el diablo y el pecado fueron vencidos, y los hombres, libres, nacieron a una nueva vida.

Pero ¿qué sabemos nosotros ahora –que no tenemos ni sentimos ya respeto de la noche– de aquel gozo de nuestros antepasados y primeros cristianos por el retorno de la luz cada mañana? Si aprendiésemos algo de esa alabanza matutina que debemos dar a Dios trino, al Dios Padre y Creador que nos ha protegido durante la noche y nos ha despertado para darnos un nuevo día; a Dios Hijo, Salvador del mundo que, por nosotros, triunfó de la muerte y el infierno y, vencedor, vive entre nosotros; a Dios Espíritu Santo que, desde el amanecer, ilumina nuestros corazones con la palabra divina, ahuyenta las tinieblas y el pecado, y nos enseña a orar rectamente, entonces también vislumbraríamos el gozo de los hermanos que, unidos en armonía, se encuentran cada mañana para alabar a Dios, escuchar su palabra y orar en comunidad.

La mañana no pertenece al individuo, sino a la Iglesia de Dios trino, a la comunidad familiar y fraterna de los cristianos. Innumerables son los viejos

cantos que llaman a la comunidad a alabar a Dios
cada mañana. Por ejemplo, estos himnos que cantan
los hermanos bohemios al llegar el día:

> El día ahuyenta la oscuridad de la noche.
> ¡Cristianos, despertad
> para alabar a Dios, vuestro Señor.
> Recuerda que el Señor Dios
> te ha creado a su imagen
> para que tú lo reconozcas!
>
> Despunta el día y resplandece.
> ¡Oh Dios nuestro, te alabamos
> por habernos protegido esta noche!
> ¡Gloria a ti, nuestra alegría!
> Guárdanos también en este día
> porque somos pobres peregrinos;
> asístenos con tu ayuda
> para que no nos dañe mal alguno.
>
> Se aproxima la claridad del día.
> ¡Hermanos, alabemos
> al Dios del amor que, por su gracia
> nos ha protegido esta noche!
> Nos ofrecemos. Señor, a ti
> para que, según tu voluntad, nos guíes
> y hagas buenas nuestras obras.

La vida en común bajo la autoridad de la palabra comienza con un acto común al iniciarse el día.
Toda la comunidad se reúne para la alabanza, la acción de gracias, la lectura de la Sagrada Escritura y
la oración. La tranquilidad profunda de las primeras
horas de la mañana no es interrumpida más que por

la plegaria y el canto de la comunidad, que resuena con más claridad después del silencio nocturno y del amanecer.

La Sagrada Escritura dice a este respecto que el primer pensamiento y la primera palabra del día pertenecen a Dios: «De mañana tú escuchas mi voz; de mañana me pongo ante ti y espero» (Sal 5, 4); «mis plegarias se dirigen a ti desde el amanecer» (Sal 88, 14); «Pronto está mi corazón, oh Dios, mi corazón está dispuesto. Te cantaré y te ensalzaré. ¡Despierta, gloria mía, despertad salterio y cítara, y despertaré a la aurora!» (Sal 57, 8). Desde el amanecer, el creyente tiene sed de Dios y suspira por él: «Me adelanto a la aurora pidiendo auxilio, y espero en tu palabra» (Sal 119, 147). «Oh Dios, tú eres mi Dios, te busco sin cesar; mi alma tiene sed de ti; mi carne suspira en pos de ti como tierra reseca, sedienta, sin agua» (Sal 63, 2). La Sabiduría de Salomón, por su parte, quiere «anticiparse al sol para darte gracias y salirte al encuentro al levantarse el día» (Sab 16, 28), y el Eclesiástico de Jesús Ben Sirach dice en particular del escriba que «madruga de mañana para dirigir su corazón al Señor que le creó, para orar en presencia del Altísimo» (Eclo 39, 6). Asimismo, la Escritura señala el amanecer como la hora en la que Dios nos concede su ayuda especial. De la ciudad de Dios se dice que él «la socorrerá desde el clarear de la mañana» (Sal 46, 6), y de Dios, que «sus misericordias se renuevan todas las mañanas» (Lam 3, 22).

Para el cristiano el comienzo del día no debe estar sobrecargado ni obstaculizado por los quehaceres múltiples que le esperan. Cada día que comienza está sometido al Señor que lo creó. Solamente la claridad de Jesucristo y su palabra resucitadora es capaz de disipar la oscuridad, la confusión de la noche y sus quimeras. Ella desvanece toda inquietud, toda impureza, toda aflicción y toda angustia. Por eso, al comienzo de nuestra jornada, debemos acallar todos los pensamientos y palabras inútiles, y dirigir nuestra primera palabra y nuestro primer pensamiento a aquel a quien pertenece toda nuestra vida. «Despierta tú que duermes, levántate de entre los muertos y Cristo te iluminará» (Ef 5, 14).

Con sorprendente frecuencia la Sagrada Escritura nos recuerda que los hombres de Dios se levantaban temprano para buscarle y cumplir sus mandamientos. Así hacían Abrahán, Jacob, Moisés, Josué (cf. Gn 19, 27; 23, 3; Ex 8, 16; 9, 13; 24, 4; Jos 3, 1; 6, 12, etc.). También del mismo Jesús, el evangelio –en el que no hay ni una palabra superflua– dice: «A la mañana, mucho antes de amanecer, se levantó, salió y se fue a un lugar desierto, y allí oraba» (Mc 1, 35). Existe un levantarse temprano, impulsado por las preocupaciones, llamado «inútil» por la Escritura: «Es inútil que madruguéis y que comáis el pan de la fatiga» (Sal 127, 2). Y también existe un madrugar por amor a Dios. Este era el que practicaban los hombres de la Sagrada Escritura.

La oración en común de la mañana comprende la lectura de la Escritura, el canto y la plegaria. A diversidad de comunidades corresponde también diversidad de formas de devoción matutina. Y así debe ser. La oración de una familia donde haya niños, por ejemplo, debe ser diferente de la de una comunidad de teólogos; sería absurdo ignorar esta diferencia y que la comunidad de teólogos, por ejemplo, se contentase con un culto destinado a los niños. Sin embargo, toda forma de devoción matinal en común debe comprender *la lectura de la Escritura, el canto y la plegaria de la comunidad.* Hablaremos de cada uno de estos elementos.

LA LECTURA DE LOS SALMOS

«Hablando entre vosotros con salmos» (Ef 5, 19). «Enseñándoos y amonestándoos unos a otros… con salmos» (Col 3, 16). La *lectura de los salmos como forma de plegaria en común* ha tenido desde siempre una importancia especial en la Iglesia. Todavía inicia el culto matutino de los fieles en algunas iglesias. Nosotros hemos perdido casi por completo esta costumbre, y debríamos esforzarnos por recuperarla.

El libro de los salmos ocupa un lugar excepcional dentro del conjunto de la Sagrada Escritura. Es palabra de Dios y, al mismo tiempo, salvo raras excepciones, plegaria del hombre. ¿Cómo hay que entender esto? ¿Cómo es posible que la palabra de Dios pueda ser al mismo tiempo oración dirigida a Dios? Añadamos además la observación hecha por todos los que comienzan a rezar los salmos. Al principio intentamos recitarlos como una oración personal. Pronto, sin embargo, tropezamos con pasajes que no se prestan a este modo de usarlos. Pensemos en los salmos de inocencia o de venganza, incluso en los de sufrimiento. Sin embargo estas oraciones son palabra de la Sagrada Escritura que un cristiano no puede rechazar como anacronismos religiosos ya caducos. Por tanto se niega a juzgar las palabras de la Escritura, aunque admite que le es imposible hacer de estos textos materia de su oración personal. Puede leerlas, escucharlas, asombrarse, incluso escandalizarse, admitiendo que son oración de otro, pero él no las puede utilizar ni suprimir.

Ciertamente sería cómodo aconsejar, en estos casos, comenzar por los salmos «comprensibles», dejando de lado aquellos que, por su dificultad, cueste entender. Pero resulta que esta dificultad de algunos salmos nos va a permitir precisamente acercarnos a su misterio. Las oraciones de los salmos que nuestros labios no pueden pronunciar, que nos sorprenden o espantan, nos hacen presentir que aquí es otro el que ora, y que el que puede proclamar así su inocencia, clamar por el juicio de Dios y descender a tan profundo dolor, no es otro que… Jesucristo mismo. Es él quien ora aquí, y no solamente aquí, sino también en todo el salterio. Así lo han reconocido y testificado siempre el Nuevo Testamento y la Iglesia. Es el *hombre* Jesucristo quien ora en los salmos por boca de su Iglesia, es decir, aquel para quien ninguna pena, ninguna enfermedad, ningún sufrimiento son desconocidos, y quien, sin embargo, era el justo y el inocente por excelencia.

Los salmos son el libro de oraciones de Jesucristo en el sentido más propio. Él ha rezado los salmos y así el salterio se ha convertido en su oración para todos los tiempos. ¿Comprendemos ahora cómo los salmos pueden ser la oración de la Iglesia al mismo tiempo que la palabra de Dios a la Iglesia, ya que aquí nos encontramos con Cristo en oración? Jesucristo reza los salmos en su Iglesia. También ella, como el cristiano individual, reza, pero es porque Cristo ora en sus oraciones; no ora en nombre propio, sino en nombre de Jesucristo. El creyente no ora siguiendo el impulso natural de su propio corazón sino en base a la humanidad asumida por Cristo, ora en la oración del hombre Jesucristo. Es lo único que le da seguridad de que su oración será escuchada. Debido a que Cristo reza los salmos con nosotros ante el trono de Dios o, mejor dicho, porque los que oran son asumidos en la oración de Jesús, su oración es escuchada por Dios. Cristo se ha convertido en su intercesor.

El salterio es la oración vicaria de Cristo por su Iglesia. Ahora que Cristo está con el Padre, es el cuerpo de Cristo sobre la tierra –es decir, su nueva humanidad– el que continúa diciendo su oración hasta el fin de los tiempos. Y así, no es al miembro individual a quien pertenecen los salmos, sino a la totalidad del cuerpo de Cristo; sólo en esa totalidad se encarna todo lo que el individuo aislado no podrá aplicarse jamás a sí mismo. Por esta razón la oración de los salmos pertenece especialmente a la comunidad. Si un versículo o un salmo no pueden expresar mi oración personal, no por ello deja de ser la oración de uno u otro miembro de la comunidad y, en cualquier caso y siempre, es la oración del verdadero hombre Jesucristo y de su cuerpo en la tierra.

Los salmos nos enseñan a orar sobre el fundamento de la oración de Cristo. Son la escuela de oración por excelencia. En ella aprendemos, *en primer lugar*, lo que significa orar: orar sobre la base de la palabra de Dios y de sus promesas. La oración cristiana se asienta sobre la palabra revelada, y no tiene nada que ver con la vaguedad y el egoísmo de nuestros deseos. Oramos fundándonos sobre la oración del verdadero hombre Jesucristo. Esto es lo que quiere expresar la Escritura cuando dice que el Espíritu Santo ora en nosotros y por nosotros, y que no podemos orar verdaderamente a Dios sino en nombre de Jesucristo.

En *segundo lugar*, la oración de los salmos nos enseña lo que debemos expresar en nuestras oraciones. Si es verdad que el alcance de la oración de los salmos sobrepasa en mucho la medida de la experiencia personal, también es verdad que, por la fe, el creyente puede decir las oraciones que Cristo pronuncia en los salmos, las oraciones de aquel que era verdadero hombre y el único que posee en plenitud toda la medida de las experiencias contenidas en esas oraciones.

¿Podemos entonces rezar los salmos de venganza? No, en cuanto somos pecadores y los impregnamos de malos pensamientos; sí, en cambio, en cuanto estamos en Cristo, quien toma sobre sí y soporta la justicia divina en lugar nuestro y que solamente así –atrayendo sobre sí mismo la cólera de Dios– pudo perdonar a sus enemigos; sí, nos está permitido rezar esos salmos, en tanto que miembros de Jesucristo, a través de él y desde su corazón.

¿Podemos, pues, llamarnos, con el salmista, inocentes, piadosos y justos? No, si lo hacemos por nosotros mismos y si oramos desde nuestro corazón pervertido; sí, en cambio, desde el corazón de Cristo, puro y sin pecado, y desde la inocencia de Cristo que él nos hace compartir en la fe. En la medida en que «la sangre de Cristo y su justicia se haya convertido en nuestro adorno y nuestro traje de gala» (Zinzendorf), podemos y debemos rezar los salmos de inocencia: expresan su oración y su gracia para con nosotros.

Y ¿cómo habremos de rezar esos salmos de una tribulación y un sufrimiento inenarrables, de forma que podamos entrever algo de lo que expresan? No intentando sentir una realidad de la que nuestro corazón no tiene experiencia, ni pretendiendo expresar nuestras propias quejas, sino sabiendo que todo ese sufrimiento ha sido verdadero y real en Jesucristo, el hombre que ha sufrido la enfermedad, el dolor, el oprobio y la muerte, y en quien toda carne ha sido crucificada y muerta; sí, en este sentido nosotros podemos y debemos rezar los salmos de dolor. Lo que nos ha acontecido en la cruz: la muerte de nuestro hombre viejo, y lo que nos acontece y debe acontecernos a partir de nuestro bautismo por la mortificación de nuestra carne, es lo que nos da derecho a rezar estos salmos. En cuanto oraciones de Jesucristo, pertenecen, desde su crucifixión, a su cuerpo extendido sobre la tierra. No podemos en este trabajo desarrollar más extensamente esta verdad. Se trata simplemente de indicar la trascendencia de los salmos como oración de Cristo. Pero esto, sólo muy poco a poco podremos irlo comprendiendo.

En *tercer lugar*, la recitación de los salmos nos enseña a orar en comunidad. Ora el cuerpo de Cristo y, en tanto que individuo, comprendo que mi oración no es sino una pequeña fracción de la oración colectiva de la Iglesia. Aprendo a orar con el cuerpo de Cristo. Esto es lo que hace que me eleve por encima de circunstancias personales y ore prescindiendo de mí mismo. Muchos de los salmos de la comunidad del Antiguo Testamento debieron ser oraciones alternadas. El llamado *paralelismus membrorum*, es decir, la costumbre de repetir una misma idea con otras palabras en la segunda parte del versículo, no es solamente una forma literaria, sino que tiene también un sentido eclesial y teológico. Alguna vez valdría la pena examinar a fondo este asunto.

Como ejemplo especialmente ilustrativo tomemos el Salmo 5. En él dos voces elevan un mismo ruego a Dios. ¿Acaso no será esto una prueba de que quien ora nunca lo hace solo, sino que siempre debe ser acompañado por otro –un miembro de la Iglesia, el mismo Jesucristo–, a fin de que la oración individual sea verdadera oración? ¿No es posible, tal vez, que con la repetición de un mismo tema que, como sucede al final del Salmo 119, culmina en una monotonía interminable, casi intraducible, se indique que cada palabra de la oración pugna por penetrar en una profundidad del corazón que sólo puede ser alcanzada mediante una repetición incesante... y en último término ni aun así? ¿Que en la oración no se trata del desahogo accidental, apesadumbrado o gozoso, del corazón humano, sino de aprender, asimilar y grabar en la memoria, de forma permanente, la voluntad de Dios en Jesucristo?

En su interpretación de los salmos, Otinger ha expresado una profunda verdad al ordenarlos según las siete peticiones del padrenuestro. Con ello quería decir que en los salmos, en el fondo, no se trata de otra cosa que del mensaje contenido en las breves peticiones de la oración dominical. En todas nuestras oraciones lo importante es la oración de Jesucristo que contiene la promesa de ser atendida y nos libra de la palabrería pagana. Cuanto más nos volvamos a identificar con los salmos y cuanto mayor sea la frecuencia con que los recitemos, tanto más sencilla y rica llegará a ser nuestra oración.

La lectura bíblica

Después de la oración de los salmos, e intercalado un cántico, sigue la *lectura de la Sagrada Escritura.* «Aplícate a la lectura» (1 Tim 4, 13). También aquí tendremos que vencer numerosos prejuicios para llegar a una verdadera lectura en común de la Biblia. Casi todos nosotros hemos crecido en la convicción de que leer la Escritura significa escuchar la palabra que Dios nos dirige para la jornada, de manera que para muchos esta práctica consiste en leer algunos versículos que constituyen el tema dominante del día. En este sentido, no hay duda de que ciertos libros que proponen un texto bíblico para la oración cotidiana han constituido hasta hoy una verdadera bendición para cuantos los han utilizado. Muchos lo experimentaron con sorpresa y agradecimiento precisamente en épocas de lucha para la Iglesia.

Sin embargo esas breves palabras orientadoras de la jornada no pueden ni deben reemplazar completamente la lectura de la Escritura. El texto del día no es aún la Sagrada Escritura que permanecerá a través de los tiempos; hasta el último día, la Sagrada Escritura es algo más que un texto bíblico. Por lo mismo, es algo más que «el pan cotidiano». Es la palabra con que Dios se revela a todos los hombres de todos los tiempos. No consiste en versículos aislados sino en un todo que exige manifestarse como tal. Es en su totalidad como la Escritura es la palabra revelada de Dios.

Sólo en la infinitud de sus relaciones interiores, en la conexión entre Antiguo y Nuevo Testamento, la promesa y cumplimiento, sacrificio y ley, ley y evangelio, cruz y resurrección, fe y obediencia, don y espera, se hace enteramente inteligible el testimonio de Jesucristo, el Señor. Por eso el culto comunitario debe constar, además de la recitación de los salmos, de una extensa lectura del Antiguo y Nuevo Testamento.

Una comunidad doméstica debería ser capaz de leer, mañana y tarde, un capítulo del Antiguo Testamento y al menos medio capítulo del Nuevo. Un primer intento mostrará que este modesto programa es ya, para la mayoría, una gran exigencia. Puede objetarse que no es posible asimilar y retener realmente tanta abundancia de pensamientos y relaciones, y que leer más de lo que puede ser asimilado implica cierto desprecio de la palabra divina. Esta objeción hace que se regrese pronto a los versículos aislados, denunciando con ello una grave laguna. Si verdaderamente nosotros, cristianos adultos, no somos capaces de leer completamente un capítulo del Antiguo Testamento, debería causarnos una profunda vergüenza, porque ¿no es un pobre testimonio de nuestro conocimiento de la Escritura y de todas nuestras experiencias en esta práctica? Si conociésemos la materia que leemos, no nos sería nada difícil seguir la lectura de un capítulo, sobre todo si tenemos a mano la Biblia y seguimos el texto. Sin embargo, tenemos que admitir que conocemos muy poco la Sagrada Escritura. Esta laguna en

nuestro conocimiento de la palabra de Dios ¿no debería despertarnos?; ¿no tendrían que comenzar por aquí
los teólogos? Y que no se diga que el culto comunitario no tiene por objeto hacernos conocer la Escritura,
que esto es una tarea demasiado profana que puede
conseguirse independientemente. Tal razonamiento
expresa un desconocimiento completo de la naturaleza del culto. La palabra de Dios debe ser oída según la
situación y comprensión de cada uno: para el niño, el
culto familiar es ocasión de oír y aprender por primera
vez la historia bíblica; para el adulto, la oportunidad
de comprenderla mejor, a lo que no podrá llegar por la
sola lectura personal.

Sin embargo, es posible que no solamente los niños, sino también los cristianos adultos se quejen de
que la lectura de la Biblia es frecuentemente muy larga y contiene muchas cosas incomprensibles. A este
respecto hay que decir que toda lectura bíblica, aun la
más corta, es siempre «demasiado larga», y esto muy
especialmente para el cristiano consciente. ¿Qué quiere decir esto? La Escritura es un todo, y cada palabra,
cada frase, se encuentra tan diversamente relaciona-
da con el conjunto que resulta imposible conservar la
visión del conjunto en cada uno de los detalles. Esto
nos enseña que la Biblia en su conjunto y en cada una
de sus palabras sobrepasa en mucho nuestro entendi-
miento, y es provechoso que diariamente se nos recuerde este hecho que nos remite constantemente al
mismo Jesucristo, en quien «se hallan escondidos to-

dos los tesoros de la sabiduría» (Col 2, 3). Esto permite afirmar que toda lectura de la Biblia debe ser «bastante larga» para que no se transforme en una simple retahíla de consejos prácticos, sino que permanezca la palabra de Dios revelada en Jesucristo.

Por ser la Escritura un *corpus*, un todo viviente, es conveniente que la comunidad doméstica practique la *lectio continua*, es decir, la lectura seguida. Libros históricos, profetas, evangelios, cartas y hechos se leerán relacionados como palabra de Dios. Estos textos introducen a la comunidad que los escucha en el corazón mismo del mundo maravilloso de la revelación de Dios al pueblo de Israel con sus profetas, jueces, reyes y sacerdotes; sus guerras, sus fiestas, sus sacrificios y sufrimientos; la comunidad cristiana es introducida en la historia de la navidad, bautismo, milagros, predicación, sufrimientos, muerte y resurrección de Jesucristo; toma parte en el acontecimiento único realizado sobre la tierra por la salvación del mundo y recibe ella misma aquí la salvación en Jesucristo. Así, la lectura continua de la Biblia obliga a todos los que quieran entender, a aproximarse donde Dios ha actuado una vez por todas en favor de la salvación de los hombres, y dejarse encontrar allí por él. Es precisamente en la lectura durante el culto cuando los libros históricos de la Biblia adquieren para nosotros un aspecto absolutamente nuevo. Tomamos parte ahí en los acontecimientos llevados a cabo antaño por nuestra salvación; nos olvidamos de nosotros mismos y entramos con el pueblo en la tierra prometida, atravesando el mar Rojo, el desierto, el Jordán; con Israel caemos en la duda y en la incredulidad, y por medio del castigo y la penitencia recibimos de nuevo el socorro y la fidelidad de Dios; y todo esto no son ensueños, sino una realidad sagrada y divina. Somos arrancados de nuestra propia existencia e introducidos en el corazón de la historia que Dios escribe en la tierra. Ahí es donde Dios ha obrado en nosotros y ahí es donde sigue obrando: en nuestras miserias y pecados mediante su ira y su gracia.

Lo importante no es que Dios sea espectador compasivo de nuestra existencia presente, sino que nosotros seamos oyentes atentos y activos de su actuación en la historia sagrada, en la historia de Cristo sobre la tierra, y solo en la medida en que participemos en esa historia. Dios está también hoy con nosotros. Se produce por tanto un cambio radical. Comprendemos que no es en nuestra vida donde tiene que revelarse la ayuda y la presencia de Dios, sino que se reveló definitivamente en favor nuestro en la vida de Jesucristo. Efectivamente, es más importante para nosotros saber lo que Dios realizó en Israel y en su Hijo Jesucristo que atormentarnos por descubrir lo que Dios quiere de nosotros hoy. La muerte de Jesucristo es más importante que mi propia muerte, y su resurrección de entre los muertos es el único fundamento de la esperanza de mi resurrección en el último día. Nuestra salvación se halla «fuera de nosotros» (*extra nos*), yo no la encuentro en los acontecimientos de mi propia vida, sino únicamente en la historia de Jesucristo. Sólo aquel que se deja encontrar en Jesucristo, en su encarnación, en su cruz y en su resurrección, está en Dios, y Dios en él.

Desde esta perspectiva, la lectura de la Biblia en la oración de la mañana se nos hará cada día más significativa y saludable. Porque lo que nosotros llamamos nuestra vida, nuestras tribulaciones, nuestras culpas, no constituye en modo alguno la realidad, puesto que es en la Escritura donde está nuestra vida, nuestras tribulaciones, nuestras culpas y nuestra salvación. Porque le ha agradado a Dios obrar ahí nuestra salvación, solamente de ahí nos vendrá la ayuda. Sólo por medio de la Sagrada Escritura aprendemos a conocer nuestra propia historia. El Dios de Abrahán, Isaac y Jacob es el Dios y Padre de Jesucristo, nuestro Dios y nuestro Padre.

Nuestro primer deber es recuperar el conocimiento que nuestros antepasados y los reformadores tenían de la Escritura. Para ello, no debemos ahorrar ni tiempo ni sacrificios. Tenemos que hacerlo ante todo por nuestra salvación, aunque también existen otras buenas razones que urgen este deber. ¿Cómo podríamos, por ejemplo, tener seguridad y confianza en nuestra vida personal y eclesial si no nos basamos en el sólido fundamento de la Escritura? No es nuestro corazón el que decide nuestro camino sino la palabra de Dios. Sin embargo ¿quién siente hoy la necesidad de la fundamentación de la Escritura? Cuántas veces hemos oído fundamentar las decisiones más importantes en argumentos tomados «de la vida» y «de la experiencia», sin preocuparse de si las indicaciones de la Escritura podían señalar una dirección opuesta. No debe extrañarnos que quien no se toma el trabajo de leer, conocer y estudiar la Escritura trate de desacreditar la prueba bíblica. Pero quien no desea conocer personalmente la Escritura no es un cristiano evangélico.

Todavía más: ¿cómo podríamos ayudar realmente a un hermano en la miseria o en la tribulación sin recurrir a la palabra de Dios? Todas nuestras palabras se agotan rápidamente. En cambio, aquel que como «un buen padre de familia saca de su tesoro cosas nuevas y antiguas» (Mt 13, 52), aquel que puede hablar inspirándose en la riqueza de las indicaciones, exhortaciones y consuelos de la Escritura, podrá arrojar al demonio por el poder de la palabra de Dios y prestar una ayuda real a sus hermanos. Nos detenemos aquí. «Porque desde la infancia conoces las sagradas Escrituras, que pueden instruirte en orden a la salvación» (2 Tim 3, 15).

¿Cómo debemos leer la Sagrada Escritura? Dentro de la comunidad doméstica, el mejor método es que cada uno continúe por turno la lectura comenzada. Se comprobará entonces que no es fácil leer la Biblia a los demás. Cuanto más sobria, más objetiva y más humilde sea la actitud interior frente al texto, tanto más adecuada será la lectura. En la manera de leer la Escritura se pone de manifiesto a menudo la diferencia entre un cristiano experimentado y un cristiano principiante.

Para una recta lectura de la Biblia debe observarse la siguiente regla: el que lee no debe identificarse jamás con el «yo» que habla en la Escritura. No soy yo quien se irrita, consuela o exhorta, sino Dios. Desde luego, no quiere decir que deba adoptarse un tono monótono e indiferente; por el contrario, deberé leerlo sintiéndome interiormente, yo mismo, comprometido e interpelado; no obstante, toda la diferencia entre buena o mala lectura reside en que yo no me ponga en el lugar de Dios, sino en que le sirva con sencillez. De lo contrario corro el peligro de convertirme en retórico, patético, sentimental o impulsivo, es decir, de llamar la atención del oyente sobre mi persona y no sobre la palabra; es la deformación que amenaza toda lectura de la Biblia. Para explicarlo con un ejemplo profano, podríamos decir que la situación del lector de la Escritura es como la de una persona que le lee a otra la carta de un amigo. No leeré esa carta como si la hubiese escrito yo, sino que respetaré y haré sentir la distancia; pero tampoco leeré la carta como si no me concerniese, sino que en mi entonación se percibirá mi implicación personal.

La lectura correcta de la Escritura no es una técnica que puede ser aprendida, sino que depende de mi propia disposición interior. Con frecuencia la manera pesada y dificultosa con que ciertos cristianos cargados de años y de experiencia leen la Biblia vale más que la lectura acabada hecha por un pastor. También en esto pueden ayudarse y aconsejarse mutuamente los miembros de la comunidad doméstica cristiana.

Diremos, para concluir, que la lectura continua de la Biblia no excluye los textos señalados para el día, que pueden encontrar su lugar y su sentido en el transcurso de una reunión de oración y constituir una consigna diaria o semanal.

CANTAR EN COMÚN

A la lectura de los salmos y a la lectura bíblica se añade *el canto en común*; con él la voz de la Iglesia alaba, agradece e implora a su Señor.

«Cantad al Señor un cántico nuevo», nos repite el salmista. Es el cántico nuevo entonado cada mañana, en honor de Cristo, por la comunidad familiar, y que estamos llamados a cantar con toda la Iglesia en la tierra y en el cielo. Dios quiere ser celebrado con un cántico eterno, y entrar en su Iglesia es unir la voz a este coro inmenso. Es «el canto de alegría de las estrellas del alba y las aclamaciones de los hijos de Dios» que suben hasta él de toda la creación (Job 38, 7). Es el canto victorioso de los hijos de Israel después de atravesar el mar Rojo, el *magnificat* de María después de la anunciación, el himno de alabanza de Pablo y de Silas en la noche de su prisión, «el cántico de Moisés y del Cordero» cantado por los creyentes liberados «sobre un mar de cristal», el himno nuevo de la Iglesia celestial (Ap 15, 2).

Cada mañana, la Iglesia aquí en la tierra une su voz a este canto universal, y al atardecer vuelve sobre él para señalar el término de la jornada. Su finalidad es alabar a Dios trino y su obra. Pero es distinto el cántico en la tierra que en el cielo. En la tierra es el canto de los que creen; en el cielo, el de los que contemplan; en la tierra es un canto hecho de pobres palabras humanas; en el cielo son «palabras inefables que ningún hombre puede expresar» (2 Cor 12, 4), el cántico nuevo que nadie puede aprender si no son «los 144 000» (Ap 14, 3) acompañado por «las arpas de Dios» (Ap 15, 2). ¿Qué podemos saber nosotros de este cántico nuevo y de esas arpas de Dios? Nuestro cántico nuevo es un canto terrestre, un himno de peregrinos y viajeros a quienes ha llegado la palabra de Dios que ilumina nuestro camino. Está vinculado a la palabra reveladora de Dios en Jesucristo. Es el canto sencillo de los hijos de esta tierra, llamados a ser hijos de Dios; no es un cántico exaltado ni estático, sino centrado en la palabra revelada, con sobriedad, gratitud y recogimiento.

«Cantando y alabando al Señor en vuestros corazones» (Ef 5, 19). El cántico nuevo ha de ser entonado, en primer lugar, en nuestro corazón. De otro modo no resulta posible cantarlo. El corazón canta porque está lleno de la presencia de Cristo. De ahí que, en la Iglesia, el canto sea un acto espiritual. Presupone sumisión a la palabra y a la comunidad, mucha humildad y una gran disciplina. Un cántico que no fuese cantado con el corazón no sería más que un himno horrible y confuso de autoalabanza humana. Cuando no se canta por Dios, se canta por uno mismo o por la música. Pero de esa forma el cántico nuevo degenera en un canto a los ídolos.

«Hablando entre vosotros con salmos, himnos y cánticos espirituales» (Ef 5, 19). Nuestro cantar sobre esta tierra es lenguaje, *palabra* cantada. ¿Por qué cantan los cristianos cuando están juntos? Ante todo porque el canto en común les brinda la posibilidad de pronunciar y pedir, juntos y al mismo tiempo, la misma cosa, es decir, manifestar su unidad mediante una palabra común. La palabra cantada tiene su espacio en todas las reuniones cristianas. El hecho de que no hablemos, sino cantemos en común, no hace más que subrayar que las palabras son incapaces de expresar todas nuestras experiencias, mientras que el canto tiene un poder de expresión mucho más rico. Sin embargo el canto está unido a palabras que nosotros pronunciamos para alabar a Dios, darle gracias, invocar y confesar su nombre. De este modo la música está íntegramente al servicio de la palabra y traduce lo que ésta tiene de incomunicable.

Debido a su completa vinculación a la palabra, el canto de la Iglesia, sobre todo el cantado en familia, es esencialmente un canto al unísono. Su naturaleza exige que el vínculo entre la palabra y la música sea simple. Su melodía, absolutamente libre, está sostenida única y esencialmente por la fuerza interior de la palabra cantada, y por tanto no necesita de ningún apoyo polifónico. «Cantemos hoy con una sola voz, al unísono y desde el fondo del corazón», dice un canto bohemio. «Para que unánimes, a una sola voz, glorifiquéis al Dios Padre de nuestro Señor Jesucristo» (Rom 15, 6). La pureza del canto al unísono, exento de la ornamentación de una musicalidad dudosa; la claridad no enturbiada por las veleidades de asignar a la música un privilegio junto a la palabra; la sencillez y la sobriedad, la humanidad y el calor de esa manera de cantar, son las características esenciales que convienen al canto de la Iglesia. Sin embargo, sólo después de un ejercicio paciente nuestro oído llega a abrirse poco a poco a su belleza. La cuestión del canto al unísono en una comunidad depende de su poder de discernimiento espiritual. Por cantar al Señor y su palabra en un mismo espíritu, el canto al unísono se canta desde el corazón.

Existen algunos enemigos del canto al unísono que deben ser eliminados sin contemplación de la comunidad. A través del elemento musical es por donde llegan a introducirse más fácilmente en el culto el mal gusto y la frivolidad. Entre esos enemigos, señalamos en primer lugar la segunda voz improvisada, tan frecuente en los cantos en común y que, intentando dar base y plenitud a la melodía que flota libremente, mata la melodía y la palabra cantada. Otro de los enemigos es la voz baja o alta que se cree en la obligación de llamar la atención de todo el mundo sobre la potencia de su registro cantando una octava diferente. Algo parecido sucede con el solista que quiere hacer valer su magnífica voz cubriendo la de los otros cantores con fortísimos exagerados. Enemigos también, aunque menos peligrosos, son los que «no tienen oído», y por esta razón no quieren cantar, aunque son menos numerosos de lo que pretenden. Más numerosos, en cambio, son los que, a causa de su estado anímico o mal humor, no quieren unirse al canto, rompiendo así la unidad de la comunidad.

El canto al unísono, por difícil que sea, más que una cuestión musical es una cuestión espiritual. Sólo en la comunidad donde cada uno adopta interiormente una actitud de recogimiento y disciplina, el canto puede brindarnos el gozo que le es propio incluso con imperfecciones musicales.

Para aprender a cantar al unísono, recomendamos sobre todo los cantos corales de la Reforma, los cantos bohemios y las antiguas melodías de la Iglesia. De esta forma se aprenderá a discernir qué composiciones del cantoral son aptas para este tipo de canto y cuáles no. Todo dogmatismo en este campo es contraproducente. Debe decidirse en cada caso particular, aunque tampoco debemos convertirnos en iconoclastas. Una comunidad doméstica deberá esforzarse por aprender a cantar espontáneamente y de corazón el mayor número posible de cantos. Logrará este propósito si, además del canto libremente escogido, intercala algunos versículos fijos que puedan ser cantados entre las lecturas.

Sin embargo, se ha de cantar no solo con ocasión de los actos de culto, sino también a ciertas horas fijas del día o de la semana. Cuanto más cantemos, tanto mayor será nuestra alegría; y sobre todo, cuanto mayor sea el espíritu de comunidad, de disciplina y de alegría con que cantemos tanto más rica será la bendición que se derramará sobre la vida comunitaria.

Es la voz de la Iglesia la que se hace audible en el canto en común. No soy yo el que canta sino la Iglesia, pero como miembro de la Iglesia puedo participar en su canto. Así, el canto en común debe servir para ampliar nuestro horizonte espiritual, para llevarnos a reconocer nuestra comunidad como un eslabón de la gran comunidad cristiana extendida por toda la tierra, y a unir libre y gozosamente nuestro canto –débil o potente– al canto de la Iglesia.

ORAR EN COMÚN

La palabra de Dios, la voz de la Iglesia y nuestra oración forman una unidad. Hablaremos ahora de la *oración en común*. «Si dos de vosotros os ponéis de acuerdo para pedir cualquier cosa, os será concedida por mi Padre que está en los cielos» (Mt 18, 19). De todas las prácticas del culto comunitario, la oración es, sin duda, la que nos ofrece las mayores dificultades, porque en ella somos nosotros mismos los que debemos hablar. Hemos escuchado la palabra de Dios y hemos podido unirnos al canto de la Iglesia; ahora, en cambio, se trata de orar a Dios en comunidad, y esta oración debe ser *nuestra* palabra, *nuestra* oración por este día, por nuestro trabajo, por nuestra comunidad, por las miserias y los pecados particulares que pesan sobre todos, por aquellas personas que nos están encomendadas. ¿O tal vez no deberíamos pedir nada para nosotros? ¿Sería inadmisible la necesidad de orar en común y con nuestras propias palabras por nosotros?

Sea como fuere, es imposible que cristianos llamados a vivir bajo la autoridad de la palabra no acaben por dirigir, también unidos, sus oraciones personales a Dios. Presentarán a Dios las mismas preces, la misma gratitud, la misma intercesión, y deberán hacerlo con alegría y confianza. Deben desaparecer por tanto la timidez y el temor a expresarse libremente ante los demás. Es preciso dejar que uno de nuestros hermanos dirija a Dios, sobria y sencillamente, la oración de la comunidad. Igualmente habrá que hacer callar en nosotros toda tendencia a juzgar y a criticar a aquel que ora, pues las débiles palabras que pronuncia las dice en nombre de Jesucristo. La oración en común es efectivamente el acto más natural de la vida cristiana comunitaria y, aunque es bueno y provechoso que nos esforcemos en conservarla en toda su pureza y en su carácter bíblico, no debemos sin embargo sofocar la libertad de su impulso, pues el Señor hizo una gran promesa a esta forma de oración.

Como regla general, la oración libre será pronunciada por el padre de familia al final del acto religioso, y en cualquier caso siempre por la misma persona, que deberá orar en nombre de todos los asistentes durante un tiempo suficientemente largo, a fin de que la oración sea protegida de falsos juicios, de la falsa subjetividad. Esto impone al encargado una gran responsabilidad.

Para que la oración de esa persona en nombre de la comunidad sea posible, es necesario que todos los asistentes intercedan por ella. ¿Cómo podría pronunciar la oración de la comunidad si primero no es sostenido por la intercesión de la comunidad misma? Es precisamente aquí donde toda tendencia a la crítica deberá trocarse en intercesión y ayuda fraterna. De lo contrario, ¡qué fácilmente puede quedar destruida la unidad de una comunidad!

En el acto religioso comunitario, la oración libre debe ser la oración de todos y no la del responsable que la pronuncia. A éste se le encomienda orar por la comunidad. Por ello, es preciso que comparta la vida diaria de la comunidad, que conozca sus aficiones y necesidades, su alegría y gratitud, sus ruegos y sus esperanzas. Tampoco debe ignorar su trabajo y los problemas que éste acarrea. Ora como un hermano en medio de otros hermanos. El no tomar su propio corazón por el de la comunidad, exige lucidez y vigilancia. Por esta razón será útil que reciba continuamente ayuda y consejo de los demás y que recuerde en su oración esta necesidad, aquel trabajo, a tal persona determinada. De este modo la oración se transformará cada vez más en la oración de todos los que forman la comunidad.

También la oración libre debe obedecer a una cierta disciplina interna, pues no se trata del desahogo caótico de un corazón humano, sino de la oración de una comunidad ordenada. Por eso volverán a repetirse cada día ciertas peticiones aunque tal vez de manera distinta. Es probable que al principio se encuentren monótonas estas repeticiones diarias, sin embargo terminarán finalmente por revelarse como oración. Si resulta posible añadir otros ruegos a los de cada día, puede establecerse un orden semanal, como ya ha sido propuesto bajo diversas modalidades. De todas formas, esta disciplina es útil para la oración personal. Para proteger la oración libre de la fantasía de la subjetividad también resulta útil partir de una de las lecturas bíblicas de la reunión. En ellas la oración encuentra un sostén y una base firmes.

Continuamente ocurrirá que el encargado de orar por la comunidad no se sienta interiormente en condiciones de hacerlo y prefiera ceder su turno a otro. Esta solución no es aconsejable ya que la oración comunitaria correría el peligro de verse sujeta a estados de ánimo que nada tienen que ver con la vida espiritual. Precisamente en los momentos en los que el vacío espiritual, la fatiga o una falta personal nos inclinan a desertar de nuestra responsabilidad es cuando debemos aprender lo que significa tener un cargo en la comunidad, y cuando nuestros hermanos deben sostener nuestra debilidad y nuestra capacidad de orar. Tal vez se estén cumpliendo entonces las palabras de Pablo: «Nosotros no sabemos pedir lo que nos conviene; mas el mismo Espíritu intercede por nosotros con gemidos inenarrables» (Rom 8, 26). Todo depende de que la comunidad interprete como suya la oración del hermano, la apoye y se una a ella.

En ciertos casos, el uso de fórmulas de oración puede suponer una ayuda para la comunidad doméstica. Sin embargo, a menudo son un medio de eludir la verdadera oración. La riqueza de fórmulas litúrgicas hace que se desestime fácilmente el valor de la oración personal; serían bellas y profundas oraciones, pero carecerían de autenticidad. Por muy útiles que resulten las oraciones tradicionales de la Iglesia para aprender a orar, no pueden sustituir la oración que yo le debo a Dios hoy. En este sentido un balbuceo defectuoso vale aquí mucho más que la mejor de las fórmulas. No es necesario decir que, en el culto público, la situación es totalmente distinta.

Frecuentemente sucederá que, además de los actos acostumbrados de oración comunitaria, una comunidad desee tener actos especiales de oración. Como norma, no deben ser instituidos estos actos, a no ser que se trate de un deseo de todos y que todos participen en ellos. Pues toda iniciativa individual en este asunto introduce fácilmente gérmenes de división dentro de la comunidad. Precisamente en este terreno los fuertes deberán sostener a los débiles y éstos renunciarán a juzgar a los fuertes. El Nuevo Testamento nos enseña que una comunidad de oración es algo totalmente normal y natural entre cristianos, y ha de mirarse sin recelo alguno. Y cuando aparezcan la desconfianza y las dificultades es preciso aprender a soportarse mutuamente con paciencia. Nada debe hacerse aquí por la fuerza, sino todo en libertad y con amor.

LA COMUNIDAD DE MESA

Hemos examinado los diferentes elementos del culto matutino de una comunidad cristiana. La palabra de Dios, el canto de la Iglesia y la oración de la comunidad inician la jornada. Sólo después de haber sido alimentada y fortalecida por el pan de la vida eterna, la comunidad se reúne para recibir de Dios el pan para la vida corporal. Dando gracias e implorando la bendición de Dios, la comunidad doméstica recibe el pan diario de la mano del Señor. Desde que *se sentó a la mesa con sus discípulos, Jesucristo está presente* para bendecir a los suyos siempre que se reúnen para comer. «Sentado con ellos a la mesa, tomó pan, lo bendijo, lo partió y se lo dio. Entonces se les abrieron los ojos y lo reconocieron» (Lc 24, 30-31). La Escritura menciona tres clases de comida en las que Jesús toma parte con los suyos: la diaria, la santa cena y el banquete final en el reino de Dios. Pero en los tres casos una sola cosa es importante: «Entonces se les abrieron los ojos y le reconocieron». ¿Qué significa reconocer a Jesucristo a través de sus dones?

Significa, en primer lugar, reconocerlo como el dispensador de todos los dones que recibimos, como Señor y Creador de este mundo junto con el Padre y el Espíritu Santo. «Bendice los bienes que tú nos has dado»: tal es la oración de la comunidad reunida para comer, confesando de este modo la divinidad eterna de Jesucristo.

En segundo lugar, significa que todos nuestros bienes temporales nos son dados únicamente por Jesucristo, del mismo modo que el mundo entero continúa existiendo gracias a él, a su palabra y a la predicación de esta palabra. Él es el verdadero pan de vida; él es no solamente el dador, sino el don mismo que hace posible todos los otros dones terrenos. Únicamente por el hecho de que la palabra de Jesucristo debe seguir siendo proclamada y creída, y porque nuestra fe no es todavía perfecta, Dios en su paciencia nos sigue manteniendo en la existencia y nos colma de beneficios. Por eso la comunidad cristiana reunida a la mesa dice con Lutero: «Señor Dios, Padre bueno celestial, bendícenos y bendice estos dones que recibimos *por Jesucristo nuestro Señor*. Amén», reconociendo de esta manera a Jesucristo como mediador y salvador divino.

Significa, finalmente, que la Iglesia cree que su Señor se hará presente allí donde ella le invoque. Por este motivo ora: «Ven, Señor Jesús, sé nuestro huésped», confesando así la presencia misericordiosa de Jesucristo. Cada vez que los creyentes comparten la mesa, confiesan que Jesús está presente en medio de ellos como su Señor y su Dios. Y no es que se ceda a la tendencia enfermiza de espiritualizar los dones temporales, sino que los creyentes reconocen a Jesucristo como autor de esos dones y, además, como el mismo don supremo, el verdadero pan de vida, que nos invita al banquete gozoso en el reino de Dios. De este modo, la comunidad de mesa cotidiana vincula a los cristianos con su Señor y les une entre sí de una forma especial. Reconocen que es Jesucristo quien parte el pan, se les abren los ojos de su fe.

Para los creyentes, compartir la mesa tiene algo de festivo. Es el recuerdo permanente, en medio de la jornada de trabajo, del descanso de Dios después de su obra, el *sabbat* que da sentido y finalidad al trabajo de toda la semana. Nuestra vida no es solamente fatiga y trabajo, también es refrigerio y gozo por la bondad de Dios. Nosotros trabajamos, pero Dios nos alimenta y sostiene. Debemos alegrarnos. El hombre no debe comer «el pan del dolor» (Sal 127, 2), sino como dice el Eclesiastés, «come alegremente tu pan» (9, 7), «por eso alabo la alegría, porque la única felicidad del hombre bajo el sol consiste en comer, beber y disfrutar» (8, 15); sin embargo, «¿quién puede comer y alegrarse sino gracias a él?» (2, 25). De los setenta ancianos de Israel que subieron al monte Sinaí con Moisés y Aarón, se dice: «Después de ver a Dios, comieron y bebieron» (Ex 24, 11). A Dios no le gusta que comamos nuestro pan con tristeza, con prisa o con vergüenza. La comida de cada día es un remanso gozoso al que el Señor nos invita como a una fiesta.

Compartir la mesa compromete a los cristianos. Lo que comemos y compartimos es *nuestro* pan de cada día. De esta manera estamos unidos entre nosotros no solamente por el espíritu, sino con todo el ser, cuerpo y alma. El hecho de que todos comamos del *mismo* pan nos mantiene fuertemente unidos. Por eso, nadie debe pasar hambre mientras uno de nosotros tenga pan; quien destruye la comunión material destruye también la comunidad del espíritu. Ambas se hallan indisolublemente unidas. «No vuelvas tus ojos ante el necesitado... Parte tu pan con el hambriento» (Eclo 4, 1-2). Porque en él sale a nuestro encuentro el Señor (Mt 25, 37). «Si un hermano o hermana están desnudos y carecen del alimento cotidiano, y algunos de vosotros les dijere: 'Id en paz, que podáis calentaros y hartaros', pero no les diereis lo necesario, ¿qué les aprovecharía?» (Sant 2, 15-16). Mientras comamos juntos nuestro pan nos será suficiente por poco que haya. El hambre no comienza sino cuando alguien quiere guardar su pan sólo para él. Esta es una ley singular de Dios. ¿No podría ser éste uno de los sentidos de la multiplicación de los panes, cuando Jesús alimentó a cinco mil hombres con cinco panes y dos peces?

La comida en común enseña a los cristianos que ellos comen todavía el pan de los peregrinos. Sin embargo, esta comida compartida les recuerda asimismo que recibirán un día el pan incorruptible en la casa del Padre. «Dichoso el que coma pan en el reino de Dios» (Lc 14, 15).

El trabajo

A continuación, la jornada del cristiano se dedica al trabajo. «Sale el hombre a sus labores, a su trabajo hasta la tarde» (Sal 104, 33). En la mayoría de los casos, los miembros de la familia se separan durante el tiempo que les ocupan sus respectivos trabajos. Orar y trabajar son dos realidades diferentes. Y si la oración no debe ser obstaculizada por el trabajo, tampoco debe serlo el trabajo por la oración. La voluntad de Dios, que exige que el hombre trabaje seis días y descanse el séptimo para alegrarse en su presencia, exige también que cada día del cristiano esté marcado por el doble signo de la oración y el trabajo. La oración exige su tiempo, pero las horas del día corresponden fundamentalmente al trabajo. Sólo dando a estas dos realidades su valor correspondiente, es posible descubrir su carácter indivisible. Sin el esfuerzo y el trabajo de la jornada, la oración no es oración, y sin la oración, el trabajo no es trabajo. Esto únicamente lo sabe el cristiano. Sólo teniendo un claro conocimiento de su diferencia es como se descubre la unidad entre ambos.

El trabajo coloca al hombre en el mundo de las cosas que esperan su actuación. Del mundo de la fraternidad el cristiano sale al mundo de las cosas impersonales, neutras, que le exigen objetividad; porque el mundo exterior no es más que un medio por el que Dios libera a los creyentes de ellos mismos, de su yo. Para cumplir su obra en el mundo de las cosas Dios hace que el hombre se olvide de sí mismo para enfrentarse con la realidad objetiva, exigente, impersonal. En el trabajo el hombre aprende a dejarse limitar por el objeto de su trabajo; de este modo el trabajo se convierte en el mejor remedio contra la pereza e indolencia de la naturaleza humana. El contacto con las cosas mata las exigencias de nuestra carne. Sin embargo, esto sólo es posible si se sabe descubrir, a través de ellas, la presencia de Dios, que somete a sus criaturas a la ley del trabajo para liberarlas de sí mismas. No por ello el trabajo deja de ser trabajo; es más, puede decirse que sólo el hombre que conoce el verdadero sentido del trabajo no teme afrontar su dureza, en la lucha incesante con el mundo impersonal de las cosas. Sin embargo, al encontrar detrás de las cosas la presencia personal de Dios, el cristiano logra descubrir la unidad entre oración y trabajo, la unidad del día. Comprende así lo que significa el «orad sin cesar» del apóstol Pablo (1 Tes 5, 17). Su oración se prolonga durante toda la jornada, penetra en el trabajo y, lejos de interrumpirlo, lo potencia y lo afirma, dándole seriedad y alegría. De esta manera, toda palabra, toda acción y todo trabajo del cristiano se convierte en oración, no en el sentido ilusorio de rehuir la tarea encomendada, sino en el hecho de descubrir constantemente la realidad de Dios a través de la severa impersonalidad de las cosas. «Todo cuanto hagáis de palabra o de obra, hacedlo en el nombre del Señor» (Col 3, 17).

Conseguida su unidad, la jornada del cristiano toma un carácter de orden y disciplina. Esta unidad debe ser buscada y hallada en la oración de la mañana, y confirmada en el trabajo. En la oración de la mañana, se decide la suerte del día. Con mucha frecuencia, el tiempo despilfarrado que nos llena de vergüenza, las tentaciones a las que sucumbimos, la debilidad y el desaliento en el trabajo, el desorden y la indisciplina en nuestros pensamientos y en nuestros encuentros con otras personas, etc., tienen su origen en nuestra negligencia en la oración de la mañana. La oración nos enseña a ordenar y distribuir mejor nuestro tiempo. De igual modo, cuando sabemos descubrir a Dios a través de las cosas, adquirimos fuerza suficiente para vencer todas las tentaciones que cada jornada de trabajo trae consigo. Y las decisiones que debemos adoptar se vuelven más fáciles y sencillas cuando se toman, no por temor humano, sino solamente para complacer a Dios. «Todo lo que hagáis, hacedlo de corazón por el Señor, no por los hombres» (Col 3, 23). También los trabajos puramente mecánicos se realizan con mayor aceptación cuando somos conscientes de la presencia de Dios y de sus mandatos. Nuestro ardor en el trabajo crece cuando rogamos a Dios que nos conceda hoy las fuerzas que necesitamos para nuestra tarea.

La comida del mediodía

La hora del mediodía es para la comunidad cristiana, donde es posible, un pequeño descanso en las tareas de la jornada. Ha transcurrido la mitad del día. La comunidad da gracias a Dios y le pide que la proteja hasta la noche. Recibe el pan diario y ora con el cántico de la Reforma: «Alimenta, Padre, a tus hijos; consuela a los pecadores arrepentidos» (Heermann). Dios es quien puede alimentarnos. Nosotros no podemos hacerlo porque somos pecadores y no merecemos nada. De este modo, el alimento que Dios nos proporciona se convierte en consuelo para nuestra tristeza, porque es la prueba de la misericordia y fidelidad con que Dios mantiene y guía a sus hijos. Es cierto que la Escritura dice: «El que no quiera trabajar, que no coma» (2 Tes 3, 10), relacionando así el don del pan con el trabajo realizado. En cambio, no habla de que el que trabaja pueda hacer valer algún derecho ante Dios. Si bien el trabajo es un mandato, el pan es un don libre y misericordioso de Dios. De suyo no se deduce que nuestro trabajo deba proporcionarnos el sustento, es Dios quien lo quiere así. Sólo a él le pertenece el día. Por eso, a mediodía, los creyentes se reúnen en torno a la mesa a la que Dios les invita. La hora del mediodía es una de las siete horas que la Iglesia y el salmista dedican a la oración. En el apogeo del día, la Iglesia invoca a Dios trino para cantar sus maravillas y pedirle ayuda y la pronta salvación. Es la hora en la que el cielo se oscureció sobre la cruz de Jesús, la hora en la que la obra de la reconciliación iba a cumplirse.

La comunidad cristiana que tenga la posibilidad de reunirse en esta hora para un momento de oración, comprobará que no lo hace en vano.

LA ORACIÓN DE LA NOCHE

La jornada de trabajo toca a su fin. Si ha sido dura y llena de dificultades, el cristiano podrá entender lo que quería decir Paul Gerhardt en este canto:

> La tarea, al fin, ha terminado
> y todo nuestro ser se regocija.
> Pronto serás liberado
> de las miserias de la tierra
> y de su pesado trabajo.

Un día es lo suficientemente largo como para poner a prueba nuestra fe; el día de mañana tendrá sus propias tribulaciones.

La comunidad doméstica se reúne una vez más para la cena y la última plegaria. «Señor, quédate con nosotros, porque la tarde está cayendo y anochece» (Lc 24, 29). Es bueno que la plegaria de la noche sea el último acto del día, antes del descanso nocturno. En estos momentos la comunidad percibe con mayor claridad la verdadera luz de la palabra divina. La oración de los salmos, la lectura bíblica, el canto y la oración común cierran la jornada, del mismo modo que la habían abierto.

Nos queda todavía añadir algunas palabras sobre la oración de la noche, a la que conviene de un modo especial la intercesión. Después de la jornada de trabajo, imploramos de Dios su bendición, su paz y su protección sobre todos los creyentes en Cristo, sobre nuestra comunidad, sobre nuestros vecinos, pastores, solitarios, enfermos, moribundos, sobre nuestra familia. ¿No es el momento en que, apartados del trabajo y abandonados en las manos de Dios, podemos vislumbrar con mayor profundidad el poder y la providencia de Dios? ¿No es cuando, terminada nuestra tarea, estamos más dispuestos a implorar de Dios su bendición, su paz y su protección? Cuando nos rinde la fatiga, Dios continúa actuando. «El que guarda a Israel, ni duerme ni reposa».

La oración de la noche de la comunidad doméstica es también el momento en que pedimos perdón por todo el mal que hemos hecho a Dios y a nuestros hermanos; pedimos para que Dios nos perdone, para

que nos perdonen nuestros hermanos y para que nosotros mismos podamos perdonar de corazón todo el
mal que nos hayan hecho. Es costumbre antigua de
los monasterios que en la última oración de la noche
el prior y los monjes se pidan mutuamente perdón
de todas sus faltas y negligencias, y se den por turno
una palabra de perdón. «Que no se ponga el sol sobre
vuestro enojo» (Ef 4, 26). Es decisivo para la comunidad cristiana saldar cada noche las diferencias que
hayan podido surgir durante la jornada. Es peligroso
para el cristiano acostarse con el corazón sin recon-
ciliar. Por eso es bueno que la oración de la noche
incluya una petición especial por el perdón mutuo,
para lograr así la reconciliación de los creyentes y la
renovación de su comunión fraterna.

Finalmente, nos llama la atención que en todas
las antiguas oraciones nocturnas tropecemos con
tanta frecuencia con la súplica de que durante la noche Dios preserve a los creyentes del diablo, de sus
terrores y de la desgracia de una muerte repentina.
Nuestros antepasados sabían todavía del desfalleci-
miento del hombre durante el sueño, del parentesco
del sueño con la muerte, de la astucia del diablo em-
peñado en hacer caer al hombre cuando no tiene de-
fensa. Por esta razón piden el auxilio de los ángeles
y la presencia de los poderes celestiales para evitar
la seducción de Satanás.

Sin embargo, de todas las peticiones de la Iglesia
primitiva, la más singular y profunda es la que ruega a

Dios que mantenga nuestro corazón despierto mientras nuestros ojos duermen. Ruega a Dios que habite con nosotros y en nosotros, aun cuando no sintamos ni nos demos cuenta de nada; que mantenga puro nuestro corazón de todos los pesares y tentaciones de la noche; que lo prepare para escuchar su llamada en todo momento, y para que podamos responder, durante la noche, como Samuel: «Habla, Señor, que tu siervo escucha» (1 Sm 3, 10). También durante el sueño estamos en las manos de Dios o bajo el poder del maligno. También durante el sueño podemos ser objeto de los milagros de Dios o de los estragos del demonio. Por eso rogamos de noche:

> Aunque nuestros ojos duerman,
> mantén despiertos nuestros corazones.
> Que tu diestra, oh Dios, nos proteja
> y nos libre del maligno (Lutero).

Nuestra jornada desde la mañana a la noche está bajo la palabra del salmista: «Tuyo es el día, tuya es la noche» (Sal 74, 16).

3

EL DÍA EN SOLEDAD

Saber estar solo

«El silencio, oh Dios, es tu alabanza en Sion» (Sal 65, 2), si bien suele traducirse: «A ti, ¡oh Dios!, se debe la alabanza en Sion». Muchos buscan la comunidad por miedo a la soledad. Su incapacidad de soledad les empuja hacia los otros. También ciertos cristianos, que no soportan estar solos por experiencias negativas consigo mismos, esperan recibir ayuda en compañía de otros seres humanos. La mayoría de las veces se ven defraudados y entonces reprochan a la comunidad lo que deberían reprocharse a sí mismos. La comunidad cristiana no es un sanatorio espiritual. Refugiarse en ella huyendo de sí mismo es convertirla en lugar de parloteo y distracción, incluso bajo la apariencia de una elevada espiritualidad. Porque en realidad no se busca la comunidad sino la embriaguez que permita olvidar por un buen tiempo la propia soledad y que, por lo mismo, sumerge al hombre en una soledad todavía más mortal. Tales tentativas

79

tienen como resultado la anulación de la palabra de Dios y de toda experiencia auténtica, y provocan la resignación y la muerte espiritual.

El que no sepa estar solo, que tenga cuidado con la vida en comunidad. No podrá sino hacerle daño a ella y hacerse daño a sí mismo. Solo estabas ante Dios cuando él te llamó y solo respondiste a su llamada; solo tuviste que cargar con tu cruz, luchar y orar, y solo morirás y darás cuenta a Dios de tu vida. No puedes huir de ti mismo, porque es Dios mismo quien te ha puesto aparte. Rehusando estar solo rechazas la llamada que Cristo te hace personalmente y no podrás tomar parte en la comunidad de los llamados. «Todos estamos llamados a la muerte y ninguno morirá por otro, sino que cada uno debe medirse personalmente con la muerte… yo no podré estar entonces contigo, ni tú conmigo» (Lutero).

Saber vivir en comunidad

Pero lo contrario también es verdad: *el que no sepa vivir en comunidad, que tenga cuidado con la soledad.* Has sido llamado en el seno de la Iglesia y esta llamada no se te ha hecho solamente a ti; llevas tu cruz, luchas y oras dentro de la comunidad de los llamados. No estás solo; incluso en la muerte y en el día del juicio no serás sino un miembro de la gran comunidad de Jesucristo. Si desprecias la comunión fraterna, rechazas la llamada de Jesucristo y tu aislamiento no te acarreará más que desgracia. «Si muero, no estoy solo en la muerte; si sufro, ella (la Iglesia) sufre conmigo» (Lutero).

Lo comprendemos: únicamente dentro de la comunidad podemos estar solos, y únicamente aquel que sabe estar solo puede vivir en comunidad. Ambas cosas van muy unidas. Tan sólo en la comunidad aprendemos la verdadera soledad, y únicamente en la soledad adquirimos el sentido de la comunidad. Sin embargo, no se trata de dos experiencias sucesivas, ambas comienzan al mismo tiempo: con la llamada de Jesucristo.

Por separado, ambas están llenas de trampas y peligros. Querer vivir en comunidad sin estar solo es arrojarse al vacío de palabras y sentimientos; querer estar solo sin la presencia de la comunidad es caer en un abismo de vanidad, narcisismo y desesperación.

El que no sepa estar solo, que tenga cuidado con la vida en comunidad. El que no sepa vivir en comunidad, que tenga cuidado con la soledad.

La comunidad diaria de la familia cristiana camina a la par de la soledad diaria de cada uno de sus miembros. Debe ser así. De lo contrario, individuo y comunidad se verán afectados de impotencia.

La señal distintiva de la soledad es el silencio, como la palabra lo es de la comunidad. Silencio y palabra guardan la misma íntima relación que soledad y comunidad. Lo uno no se da sin lo otro. La palabra oportuna nace del silencio, y el silencio, de la palabra.

Callarse no significa quedarse mudo, como tampoco hablar significa discutir. El mutismo no crea soledad, como tampoco una discusión crea comunidad. «El silencio es el exceso, la embriaguez y el sacrificio de la palabra. El mutismo, en cambio, resulta malsano, como algo que solamente fue mutilado, pero no sacrificado... Zacarías se vuelve mudo en lugar de silencioso. Si hubiera aceptado la revelación, a lo mejor habría salido del templo silencioso, no mudo» (Ernest Hello).

La palabra que fundamenta y une de nuevo a la comunidad va acompañada de silencio. «Hay un tiempo para callar y un tiempo para hablar» (Ecl 3, 7). Del mismo modo que existen en la jornada del cristiano determinadas horas para la palabra, especialmente las horas de meditación y de oración, deben existir también ciertos momentos de silencio, a partir de la palabra. Esto se dará sobre todo antes y después del culto. La palabra de Dios no se manifiesta en el ruido, sino en el silencio. El silencio del templo es la señal de la sagrada presencia de Dios en su palabra.

ESCUCHAR A DIOS

Existe una actitud de indiferencia y hasta de rechazo que ve en los momentos de silencio el menosprecio de la palabra en la que Dios ha querido revelarse. Esto sucede cuando se interpreta el silencio como una actitud ficticia o como un intento místico de elevarse más allá de la palabra. No se le ve más que como una exigencia del recogimiento.

Callamos antes de escuchar porque nuestros pensamientos ya están dirigidos hacia el mensaje, al igual que calla un niño cuando entra en la habitación de su padre. Callamos después de oír la palabra de Dios, porque ella resuena, vive y quiere permanecer en nosotros. Callamos al levantarse la mañana y callamos al caer la noche porque es a Dios a quien corresponde la primera y última palabra del día. Callamos, por tanto, únicamente por causa de la palabra, y esta actitud no significa que la despreciemos, sino que deseamos honrarla y recibirla como es debido. Callar, en definitiva, no significa otra cosa que estar atentos a la palabra para poder caminar con su bendición. La necesidad de aprender a callar en una época donde lo que priva es el ruido es algo que cualquiera puede ver; en este sentido, sólo el acto espiritual del silencio puede lograr un resultado positivo.

El silencio observado antes de escuchar la palabra de Dios repercutirá sobre toda la jornada. Nos enseñará a vivir midiendo nuestras palabras. Sin embargo, existe un silencio indebido, un silencio que se complace en sí mismo, orgulloso y agresivo, el cual viene a demostrar que lo que importa no es el silencio en sí. El silencio del cristiano es un silencio expectante, humilde y que, por esto, acepta ser interrumpido. Es un silencio que se mantiene en comunicación con la palabra. Así lo interpreta Tomás de

Kempis: «Nadie habla con más seguridad que quien sabe callar». Existe en el silencio un poder de clarificación, de purificación y de comprensión de lo esencial. Y esto ya en el terreno meramente profano. Saber callar ante la palabra de Dios, en cambio, hace que la entendamos mejor y la pronunciemos adecuadamente. De esta manera se evitan muchas palabras inútiles. Lo esencial, lo que conviene, puede decirse en pocas palabras.

Cuando una comunidad doméstica se ve obligada a convivir en un lugar reducido y, debido a ello, no puede asegurar a cada uno de sus miembros la tranquilidad exterior necesaria, resulta indispensable establecer horas fijas de silencio que renueven la actitud de unos para con otros. En muchos casos, únicamente una fuerte disciplina podrá asegurar al individuo ese recogimiento, preservando así la integridad de la comunidad.

No es nuestro propósito enumerar aquí todos los frutos excelentes que la soledad y el silencio pueden reportar a los cristianos. Es muy fácil que nos extraviásemos por derroteros de experiencias un tanto dudosas. El silencio puede no ser más que un horrible desierto lleno de terror, o bien un paraíso artificial, pero lo uno no es mucho mejor que lo otro. Sea como fuere, nadie debe esperar del silencio otra cosa que el sencillo encuentro con la palabra de Dios, razón por la cual se ha refugiado en el silencio. Pero este encuentro es un don. Ningún cristiano debe poner condiciones a cómo ha de producirse este encuentro; ha de aceptarlo como se produzca y, así, su recogimiento silencioso tendrá amplia recompensa.

LA MEDITACIÓN DIARIA

Existen tres cosas para las que el cristiano necesita de un tiempo aparte a lo largo de la jornada: la reflexión bíblica, la oración y la intercesión. Las tres constituyen lo que se conoce por *meditación diaria.* Esta expresión no debe asustarnos, pues se trata de un término antiguo tomado del lenguaje de la Iglesia y de la Reforma.

Podría preguntarse por qué se necesita para ella un tiempo especial, siendo así que todos sus elementos están incluidos ya en el culto común. Intentaremos explicarlo.

El tiempo de la meditación diaria debe estar dedicado exclusivamente a la reflexión bíblica personal, a la oración personal y a nuestra intercesión personal. Los experimentos espirituales no tienen cabida aquí. Pero debemos dar a esas tres cosas el tiempo necesario ya que Dios mismo nos lo exige. Aunque durante largo tiempo la meditación no fuese otra cosa que un rendir cuentas de la pobreza de nuestro culto, ya sería suficiente.

Este tiempo de meditación personal no es un salto en el vacío sin fondo de la soledad, sino una ocasión de encontrarnos a solas con la palabra de Dios. Se nos ofrece así una base sólida sobre la que afirmarnos y una pauta segura para el camino.

Mientras que en el culto comunitario leemos de forma continuada un texto largo, aquí nos contentamos con un texto breve, seleccionado, y que puede ser el mismo a lo largo de toda la semana. Si la lectura en común nos conduce a conocer la Sagrada Escritura en su totalidad y amplitud, aquí descendemos a la profundidad insondable de cada versículo «para que podáis comprender, en unión de todos los santos, cuál es la anchura, la longitud, la profundidad y la altura» (Ef 3, 18).

En la lectura del texto de nuestra meditación diaria contamos con la promesa de que tiene algo muy personal que decirnos hoy para nuestra vida cristiana, y de que es palabra de Dios no solamente para la comunidad sino también para cada uno de nosotros. Nos exponemos a la frase o a la palabra que leemos hasta que nos llega al corazón. Con esto no hacemos sino lo que hace a diario el cristiano más sencillo y menos instruido: leer la palabra de Dios como palabra de Dios para nosotros. Así no nos preguntamos qué puede decir tal texto a otras personas, qué uso podemos hacer de él en la predicación o en la enseñanza, sino qué nos dice personalmente a nosotros. Es cierto que antes debemos haberlo comprendido en su contexto, pero no se trata de hacer aquí exégesis o un estudio bíblico, ni una preparación para la predicación, sino de conocer lo que la palabra de

Dios quiere decirnos. Este intento no es una esperanza vacía, se funda en una promesa clara de Dios. Sin embargo, a veces estamos tan invadidos y desbordados de pensamientos, imágenes y preocupaciones, que ha de pasar un tiempo hasta que la palabra de Dios logre abrirse paso hasta nuestro corazón. Pero su llegada es tan cierta como lo fue y sigue siéndolo la de Dios entre los hombres. Por eso debemos comenzar nuestra meditación diaria pidiendo a Dios que nos envíe su santo Espíritu para que nos revele la Escritura y nos ilumine.

No es necesario que lleguemos siempre hasta el final del texto del día. Con frecuencia tendremos que detenernos en una frase, o incluso en una palabra, que nos retendrá con tal fuerza que no seremos capaces de desasirnos. ¿Acaso no bastan a menudo las palabras «padre», «amor», «misericordia», «cruz», «santificación», para llenar de sobra el breve espacio de nuestra meditación?

No es necesario que en la meditación nos esforcemos en pensar y orar con palabras. A veces son preferibles la reflexión y la oración silenciosas, frutos de una actitud receptiva.

Tampoco es preciso que nos empeñemos en descubrir pensamientos originales; no harían sino distraernos y halagar nuestra vanidad. Basta con que la palabra de Dios penetre y haga su morada en nosotros tal como nos llega al leerla y comprenderla. De la misma manera que María «guardaba en su corazón» la palabra de los pastores, y la palabra de un hombre nos persigue a veces durante mucho tiempo, habitándonos y trabajando en nosotros, inquietándonos o haciéndonos feliz, sin que podamos hacer nada para impedirlo, así también la palabra de Dios intenta penetrar y permanecer en nosotros, para actuar en nuestro corazón, de modo que en todo el día no podamos desprendemos de ella: así es como lleva a cabo frecuentemente su obra sin que nosotros seamos conscientes de ello.

En fin, tampoco es necesario que nuestra meditación sea para nosotros ocasión de tener todo tipo de experiencias inesperadas y extraordinarias. Ciertamente pueden presentarse, pero su ausencia no significa que la meditación haya sido inútil. Frecuentemente –y no sólo al principio– experimentaremos gran sequedad interior, indiferencia, falta de alegría, incluso la incapacidad para meditar. No debemos permitir que estas experiencias nos detengan o nos hagan desistir de nuestra paciencia y fidelidad. Por este motivo, no hemos de darles una importancia excesiva. Nuestro antiguo orgullo y nuestra pretensión sacrílega de poner a Dios a nuestro servicio se encuentran en todo momento al acecho: nos persuaden de que tenemos derecho a toda una serie de experiencias siempre beneficiosas y entusiastas, y que nuestra pobreza espiritual es indigna de nosotros. Con este piadoso pretexto se infiltran en nuestro ánimo, impidiéndonos avanzar.

La impaciencia, los reproches que nos hacemos a nosotros mismos, no hacen sino fomentar nuestra arrogancia y hundirnos cada vez más profundamente en la trampa de la introspección. Pero lo que vale para la vida cristiana en general, también resulta válido para la meditación personal: ésta no es tiempo para la introspección. Únicamente la palabra debe captar nuestra atención para así someter todo a su eficacia. Es posible que Dios mismo nos envíe esas horas de vacío y aridez espiritual para que aprendamos a esperarlo todo de su palabra. «Busca a Dios, no la alegría», es la regla fundamental de la meditación personal. Y su promesa, ésta: es buscando únicamente a Dios como encontrarás la alegría.

La oración personal

La reflexión bíblica nos conduce a la oración. Ya hemos dicho que el camino más fecundo para la oración es la Escritura. Debemos aprender a dejarnos guiar por la palabra bíblica y orar sobre la base del texto. Evitaremos así perdernos en el vacío de nuestros pensamientos. Por tanto, orar no significa otra cosa que prepararme a recibir la palabra como un mensaje personal en mis propias tareas, en mis decisiones, pecados y tentaciones. Todo lo que no puede decirse en la oración colectiva, puede decirse aquí delante de Dios, en el silencio. Partiendo de la palabra de la Escritura pedimos a Dios que ilumine nuestra jornada, nos preserve del pecado, nos haga avanzar en la santificación, nos haga fieles y fuertes para cumplir nuestra tarea, teniendo la certeza de que nuestra oración es escuchada porque procede de la palabra y promesa de Dios. Por haber tenido la palabra de Dios su cumplimiento en Jesucristo, todas las oraciones que apelen a esta palabra recibirán en Jesucristo su cumplimiento y respuesta segura.

Una de las tribulaciones de nuestra meditación es la tendencia de nuestros pensamientos a dispersarse, a seguir su inclinación espontánea hacia ciertas personas o ciertos acontecimientos de nuestra vida. Por más que esto nos pese y entristezca, no debemos desalentarnos ni inquietarnos, y mucho menos concluir que la meditación no está hecha para nosotros. A veces, en lugar de intentar rechazar desesperadamente esos pensamientos, puede dar buen resultado acoger con paz en nuestra oración a las personas y los acontecimientos a los que aquellos nos remiten sin cesar, volviendo de este modo, pacientemente, al punto de partida de la meditación.

LA INTERCESIÓN

Nuestras preces, igual que nuestra oración personal, están relacionadas también con la palabra de la Escritura. En el culto comunitario no es posible orar como debiéramos por todas aquellas personas que nos son encomendadas. Cada cristiano tiene su propio círculo de conocidos que se han encomendado a sus oraciones, o por los que él se siente obligado a orar. Estos son, en primer lugar, aquellos con los que debe vivir a diario.

Con esto hemos llegado al centro vital de la vida comunitaria. Una comunidad cristiana vive gracias a los ruegos que hacen sus miembros unos por otros; de lo contrario, moriría. Desde el momento que ruego por un hermano, me resulta imposible odiarlo o condenarlo, por grandes que sean las tribulaciones que me cause. Su rostro, que tal vez me resulte insoportable y hasta odioso, se transforma gracias a mis ruegos en el rostro del hermano por quien Cristo ha muerto, en el rostro del pecador reconciliado. Esto constituye un descubrimiento reconfortante para el cristiano que comienza a orar por los demás. No hay antipatía, ni tensión, ni desacuerdo personal que no puedan superarse orando por otro. La intercesión representa el baño purificador donde el individuo y la comunidad deben sumergirse cada día. Esto puede significar en ciertas ocasiones una lucha muy dura con el hermano, pero contiene la promesa de conducirnos a la meta.

¿Cómo se consigue esto? Interceder por el hermano no significa otra cosa más que presentarlo ante Dios; contemplarlo bajo la cruz de Jesús como una persona pobre y pecadora que necesita de la gracia. Es en ese momento cuando desaparece todo aquello que me resultaba odioso en él, pues se me muestra en toda su indigencia, en todo su desamparo; su miseria y su pecado me agobian, como si fueran míos; entonces no puedo hacer otra cosa más que rezar: «Señor, actúa tú mismo, tú solo, sobre él, según tu justicia y tu bondad». Interceder por otro significa conceder al hermano el mismo derecho que nosotros hemos recibido, a saber: estar delante de Cristo y tener parte en su misericordia.

Por todo esto, vemos que la intercesión constituye un servicio que debemos cada día a Dios y a nuestros hermanos. Negarnos a interceder por nuestro prójimo sería negarle el servicio cristiano por excelencia. Vemos igualmente que la intercesión no es algo vago y difuso, sino algo preciso y muy concreto. Se trata de orar por unas personas muy determinadas, por unas dificultades concretas. Cuanto más precisa sea la intercesión, tanto más fecunda.

Finalmente no podemos ignorar que el acto de intercesión exige tiempo a todo cristiano y, sobre todo, al pastor responsable de la comunidad. Bien atendida llenaría suficientemente toda nuestra meditación diaria. De todas formas, la intercesión se nos revelará, cada vez con más claridad, como un don de Dios para todo cristiano, para toda comunidad cristiana. Y puesto que en ella se nos da algo tan inmenso, es lógico que lo aceptemos con profunda gratitud. Nuestra alegría en el servicio de Dios y de la comunidad se renovará incesantemente según el tiempo que dediquemos a orar por los demás.

Presencia de la comunidad cristiana

La reflexión bíblica, la oración y la intercesión son el culto que debemos a Dios y donde él nos comunica su gracia. Por eso debemos acostumbrarnos a señalar cada día una hora determinada para este ejercicio, lo mismo que para cualquier otra obligación. No se trata de «legalismo», sino de disciplina y fidelidad. Para la mayoría, la primera hora de la mañana será la más adecuada. Tenemos derecho a exigir de los demás que nos concedan el tiempo y la tranquilidad necesarios para ello, pese a todas las dificultades externas. Para el pastor es un deber indispensable del que dependerá toda su actuación ministerial. ¿Cómo podremos ser fieles en las cosas importantes, si no hemos aprendido a serlo en estas de todos los días?

Son numerosas las horas que, cada día, el cristiano pasa solo en un ambiente no-cristiano. Así es puesto a prueba. En estas horas de prueba se pone de manifiesto el valor de la meditación, el valor de la comunidad cristiana. ¿Ha servido la comunidad para hacer al individuo libre, fuerte y adulto, o lo ha convertido en un ser débil y timorato? ¿Lo ha enseñado a caminar solo, o lo ha convertido en un ser atormentado y vacilante? Este es uno de los problemas más serios que debe plantearse toda comunidad cristiana. Ahí se demostrará si la meditación personal ha conducido al cristiano a un mundo irreal del que se despierta con sobresaltos cuando debe afrontar las exigencias prosaicas de su trabajo, o si le ha conducido al mundo verdadero de Dios, que le permite afrontar, purificado y fortalecido, los trabajos de la jornada. ¿No ha sido más que una embriaguez espiritual pasajera que se esfuma al contacto con las duras tareas de la jornada, o ha hecho arraigar la palabra de Dios en el corazón del creyente tan profundamente que lo sostiene y fortalece durante todo el día, dando verdadera eficacia a su trabajo, a su obediencia y a su amor? Los acontecimientos del día lo dirán.

¿Es para mí una realidad y una ayuda la presencia invisible de la comunidad cristiana? ¿Me sostienen los ruegos de los demás creyentes? ¿Siento cerca de mí la palabra de Dios como consuelo y fuerza?

¿O aprovecho la soledad para olvidarme de la comunidad, la palabra y la oración? El cristiano debe saber que todo lo que haga durante las horas que está solo influye en la vida de la comunidad. En su soledad puede desgarrarla y mancillarla, o fortalecerla y santificarla. Toda autodisciplina del cristiano es un servicio que presta a la comunidad. Y, por otro lado, no existe pecado –por personal y secreto que sea– de pensamiento, palabra y obra, que no dañe a la comunidad. Un germen infeccioso penetra en el organismo, no se sabe de dónde procede ni en qué miembro está escondido, sin embargo todo el cuerpo está contaminado. De esta manera, por ser miembros de un solo cuerpo somos para él –no sólo cuando lo desea-

mos, sino siempre– instrumento de santidad o de perdición. Esta afirmación no es mera teoría; se apoya
sobre una realidad espiritual que puede comprobarse
perfectamente en los momentos de turbación o de
alegría, en la vida de la comunidad cristiana.

El que, después de la jornada de trabajo, regresa
a la comunidad trae consigo la bendición que ha recibido en los momentos que ha pasado solo, pero, al
mismo tiempo, recibe la bendición que procede de
la comunidad. Dichoso aquel que es capaz de estar
solo gracias a la fuerza que recibe de la comunidad,
y dichoso el que es capaz de mantener la unión con
la comunidad por la fuerza de la soledad. Esta fuerza
no es otra que la de la palabra de Dios dirigida al
individuo integrado en la comunidad.

4

EL SERVICIO

«Entonces comenzaron a discutir sobre quién de ellos sería el mayor» (Lc 9, 46). Sabemos quién propaga este pensamiento en la comunidad cristiana, pero tal vez no reflexionamos lo suficiente sobre el hecho de que ninguna comunidad cristiana puede formarse sin que ese pensamiento brote enseguida como semilla de división. En cuanto se reúnen los sercs humanos, comienzan a observarse, a juzgarse, a clasificarse. Con ello, desde el mismo nacimiento de la comunidad se entabla una terrible lucha invisible y, a veces, inconsciente que pone en riesgo su existencia. «Entonces comenzaron a discutir…», esto basta para destruir la comunidad. Por eso es vital para toda comunidad cristiana que, desde el primer momento, desenmascare a este enemigo que la amenaza y acabe con él. No hay tiempo que perder, porque desde el primer instante de su encuentro el hombre busca situarse en una posición ventajosa frente al otro.

He aquí a fuertes y a débiles juntos. Si no se forma parte de los primeros, se hará valer de inmediato el derecho de los débiles, simples y enrevesados, piadosos y tibios, sociables y retraídos: ¿no intentan todos asegurar desde el principio sus propias posiciones en detrimento de los otros, imponiendo de esa forma su manera de ser? Se necesitaría no ser hombre para no buscar instintivamente una posición segura frente a los otros, por la que se luchará con todas las fuerzas y a la que no se renunciará a ningún precio.

Esta tendencia a afirmarse puede revestir las formas más civilizadas y piadosas. Sin embargo, es muy importante que la comunidad cristiana se dé cuenta claramente de que en cualquier momento puede encontrarse en la situación arriba descrita: «Entonces comenzaron a discutir sobre quién de ellos sería el mayor». Es la lucha del hombre natural por autojustificarse, que le hace comparar, juzgar, condenar. La justificación del hombre por sí mismo y el hecho de juzgar a los demás son inseparables, como lo son la justificación por la gracia y el servicio al prójimo que ella fomenta.

El medio más eficaz de combatir nuestros malos pensamientos consiste en hacerlos enmudecer. De la misma forma que no se puede superar la autojustificación si no es con la ayuda de la gracia, tampoco se pueden contener y sofocar los pensamientos condenatorios si no es impidiendo constantemente que se manifiesten, a excepción del momento de la confesión de los pecados, de la que hablaremos aquí más adelante. Quien logra refrenar la lengua, domina su cuerpo y su alma (Sant 3, 3).

No juzgar

Una regla esencial de la vida cristiana comunitaria es que nadie se permita pronunciar una palabra secreta sobre otro. Está claro que aquí no nos referimos a la corrección fraterna personal. Lo que se proscribe es la palabra oculta que juzga al otro, incluso cuando se pretende ayudar, y la intención es buena; pues es precisamente bajo esta apariencia de legitimidad por donde mejor se infiltra en nosotros el espíritu de odio y de maldad. Este no es el momento de enumerar los diferentes modos de aplicación y las limitaciones de esta regla. Se trata más bien de una decisión personal y concreta. Bíblicamente la cuestión está clara: «Te sientas a hablar contra tu hermano, deshonras al hijo de tu madre… Te acusaré, te lo echaré en cara» (Sal 50, 20-21). «Hermanos, no murmuréis los unos de los otros. El que murmura del hermano y juzga a su hermano, murmura de la ley y juzga a la ley; pero si tú juzgas a la ley, no eres cumplidor de la ley, sino juez. Uno solo es el dador de la ley, que puede salvar o perder; pero tú ¿quién eres para juzgar a otro?» (Sant 4, 11-12). «Ninguna palabra corrompida salga de vuestra boca, sino palabras buenas y oportunas que favorezcan a los oyentes» (Ef 4, 29).

En una comunidad donde desde el principio se observa seriamente esta disciplina de la lengua, cada uno podrá hacer, por sí mismo, un descubrimiento incomparable. Le resultará imposible olvidarse de su prójimo, juzgarlo, condenarlo, ponerle en su lugar y presionarle. Además, y al mismo tiempo, será capaz de dejarle completamente libre en la situación en la que Dios le ha colocado respecto a él. Verá que su horizonte se ensancha y descubrirá por primera vez, a propósito del prójimo, la riqueza y el esplendor del don de Dios creador.

Dios no creó a mi prójimo como yo lo hubiera creado. No me lo dio como alguien a quien dominar, sino como un hermano a través del cual pueda encontrarme con el Señor que lo creó. En su libertad de criatura de Dios, el prójimo se convierte para mí en fuente de alegría, mientras que antes no era más que motivo de fatiga y de pesadumbre. Dios no quiere que yo forme al prójimo según la imagen que me parezca más conveniente, es decir, según mi propia imagen, sino que Él lo ha creado a su imagen y semejanza, independientemente de mí.

Por otra parte, tampoco yo puedo saber de antemano cómo se me va a manifestar la imagen de Dios en el prójimo: ¡a buen seguro que adoptará sin cesar formas completamente nuevas, determinadas únicamente por la libertad creadora de Dios! Esta imagen podrá parecerme insólita e incluso muy poco divina; sin embargo, Dios ha creado al prójimo a imagen de su Hijo, el Crucificado, una imagen que antes de llegar a comprenderla me pareció también muy extraña y muy poco divina.

La función del creyente

En lo sucesivo, todas las diferencias existentes entre los miembros de la comunidad, diferencias de fuerza o debilidad, de inteligencia o sandez, de talento o incapacidad, de piedad o impiedad, ya no serán motivo de discusión, de juicio, de condenación, en una palabra, de autojustificación; al contrario, serán ocasión de alegría y de servicio mutuo. Cada miembro de la comunidad recibirá en ella su lugar bien determinado, pero no aquel en el que afirmarse con mayor éxito, sino aquel desde el cual pueda servir mejor a los demás. En la comunidad cristiana todo depende de que cada uno llegue a ser un eslabón insustituible de la misma cadena: sólo cuando hasta el eslabón más pequeño está bien soldado, la cadena es irrompible. Una comunidad que permite la existencia de miembros que no se aprovechan está labrando su ruina. Por eso será conveniente que asigne a cada uno una tarea especial a fin de que en horas de duda nadie pueda sentirse inútil. Toda comunidad cristiana debe saber que no sólo los débiles necesitan de los fuertes, sino también que los fuertes no pueden prescindir de los débiles. La eliminación de los débiles significaría la muerte de la comunidad.

SERVIR A LOS OTROS

No es la autojustificación y, en consecuencia, el espíritu de violencia lo que tiene que prevalecer en la comunidad, sino la justificación por la gracia y, consiguientemente, el espíritu de servicio mutuo. Aquel que ha experimentado, aunque sea una sola vez, la misericordia de Dios en su vida, en adelante no desea más que una cosa: servir a los demás. Ya no le atrae el papel pretencioso de juez, sino que desea encontrarse entre los pobres y humildes allí donde Dios lo ha encontrado a él. «Vivid unánimes entre vosotros, no seáis altivos, sino acomodaos a los humildes» (Rom 12, 16).

El que quiere aprender a servir, ha de aprender ante todo a tenerse en poco. «Por la gracia que me ha sido dada, os digo a cada uno de vosotros: no os sobreestiméis más de lo que conviene estimaros» (Rom 12, 3). «Conocerse a sí mismo a fondo y aprender a tenerse en poco es la tarea más alta y útil. No buscar nada para sí mismo y tener, en cambio, siempre una buena opinión de los demás, es la gran sabiduría, la gran perfección» (Tomás de Kempis). «No seáis sabios en vuestra propia estimación» (Rom 12, 16).

Sólo aquel que vive del perdón de sus pecados en Jesucristo adquiere la verdadera humildad, puesto que sabe que ese perdón marcó el fin de su propia sabiduría: recuerda que la propia sabiduría perdió a los primeros seres humanos que quisieron conocer el bien y el mal, y que Caín, el primer hombre nacido sobre la tierra después de la caída, fue un homicida. Ese es el fruto de la sabiduría humana.

Debido a que el cristiano ya no puede creerse sabio, tendrá en poca estima sus planes y proyectos personales, y comprenderá que es bueno que su voluntad sea domeñada en confrontación con el prójimo. Estará dispuesto a considerar más importante y más urgente la voluntad del prójimo que la suya propia. ¿Qué importa si se desbaratan los propios planes? ¿Acaso no es mejor servir al prójimo que imponerle la propia voluntad?

No ser altivos

También la honra del prójimo es mucho más importante que mi propia gloria. «¿Cómo vais a creer vosotros, que recibís la gloria unos de otros, y no buscáis la gloria que viene del único Dios?» (Jn 5, 44). La apetencia de la propia gloria impide la fe. El que busca su propia gloria se olvida de Dios y del prójimo. ¿Qué importa que se me hagan agravios? ¿Acaso yo no habría merecido un castigo más severo si Dios no me hubiera tratado con su gran misericordia? ¿Acaso la injusticia que padezco no está mil veces justificada? ¿No será útil y bueno para mi humildad que aprenda a soportar en silencio y pacientemente alguna cosa? «Es mejor un espíritu paciente que un espíritu altivo» (Ecl 7, 8).

El que vive de la justificación por la gracia, está dispuesto a aceptar también ofensas y vejaciones sin protestar, como provenientes de la mano severa y misericordiosa de Dios. No es ciertamente buena señal que no podamos soportar tales cosas sin apelar enseguida al ejemplo de Pablo que, maltratado, hizo valer su derecho de ciudadano romano, o al de Jesús, que dijo al que le golpeaba: «¿Por qué me pegas?». En cualquier caso, ninguno de nosotros podrá obrar como Cristo o Pablo si no aprende primero, como ellos, a callar ante el oprobio y el ultraje. El pecado de la susceptibilidad, que con tanta presteza florece en la comunidad, nos demuestra sin cesar cuánta ambición o, lo que es lo mismo, cuánta incredulidad hay latente todavía.

En fin, el no creerse sabio, el humillarse ante el humilde, significan simple y llanamente tenerse por el más grande pecador. Esto suscita la protesta más ardiente del hombre natural, y también la del cristiano consciente de sí mismo. Suena a exageración, a hipocresía. Sin embargo, el apóstol Pablo dijo de sí mismo que era el primero, es decir, el más grande de los pecadores (1 Tim 1, 15), precisamente allí donde habla de su ministerio de apóstol. Yo no puedo conocer verdaderamente mi pecado si no desciendo a esta profundidad. Si mi pecado, al compararlo con el de los otros, me sigue pareciendo de algún modo menos grave y menos condenable, es que mi desconocimiento de él es absoluto. Mi pecado es necesariamente el mayor, el más grave y el más condenable, porque para el pecado de los demás el amor fraterno me hace encontrar excusas, pero para el mío no hay excusa. Por esta razón es el más grave.

Hasta estas profundidades de humildad habrá que descender para poder servir a los hermanos en la comunidad. ¿Cómo podría servir a mi hermano con humildad si su pecado me parece mucho más grave que el mío? Convencido de mi superioridad ¿podría seguir teniendo esperanza en él? Esto sería una hipocresía. «No pienses que has hecho algún progreso en tanto no te creas inferior a todos los demás» (Tomás de Kempis).

¿En qué consiste, entonces, el verdadero servicio a nuestros hermanos en la comunidad? Hoy tendemos fácilmente a responder que el único servicio auténtico es el ministerio de la palabra. Es verdad que este servicio es único y que todos los demás le están subordinados, pero una comunidad cristiana no se compone solamente de predicadores de la palabra. Abusar de la palabra y dejar de lado otras cosas, importantes también, sería una insensatez.

ESCUCHAR A LOS OTROS

El *primer servicio* que uno debe a otro dentro de la comunidad consiste en *escucharlo*. Así como el comienzo de nuestro amor por Dios consiste en escuchar su palabra, así también el comienzo del amor al prójimo consiste en escucharlo. El amor que Dios nos tiene se manifiesta no solamente en que nos da su palabra, sino también en que nos escucha. Escuchar a nuestro hermano es, por tanto, hacer con él lo que Dios ha hecho con nosotros.

Ciertos cristianos, y en especial los predicadores, creen a menudo que, cada vez que se encuentran con otros hombres, su único servicio consiste en «ofrecerles» algo. Se olvidan de que el saber escuchar puede ser más útil que el hablar. Mucha gente busca alguien que les escuche y no lo encuentran entre los cristianos, porque estos se ponen a hablar incluso cuando deberían escuchar. Ahora bien, aquel que ya no sabe escuchar a sus hermanos, pronto será incapaz de escuchar a Dios, porque también ante Dios no hará otra cosa que hablar. Introduce así un germen de muerte en su vida espiritual, y todo lo que dice termina por no ser más que verborrea religiosa.

El que no sabe escuchar detenida y pacientemente a los otros hablará siempre al margen de los problemas y, al final, ni se dará cuenta de ello. El que piensa que su tiempo es demasiado valioso para perderlo escuchando a los demás, jamás encontrará tiempo para Dios y el prójimo. Sólo lo encontrará para sí mismo, para su palabrería y sus proyectos personales.

Aplicada al prójimo, la cura de almas se distingue fundamentalmente de la predicación en que a la misión de hablar se añade la de escuchar. Se puede escuchar a medias, convencido de que, en el fondo, ya se sabe todo lo que el otro va a decir. Esta es una actitud impaciente y distraída de escuchar que desprecia al prójimo, y en la que no se espera otra cosa sino el momento de quitarle la palabra. También aquí nuestra actitud hacia el hermano no hace más que reflejar nuestra relación con Dios. No es de extrañar que no seamos capaces de cumplir la tarea más importante que Dios nos ha confiado, esto es, escuchar la confesión del hermano, si le cerramos los oídos en las cosas menos importantes.

El mundo secular de hoy tiene conciencia de que, frecuentemente, sólo es posible ayudar a un ser humano si se le escucha con seriedad; sobre este convencimiento ha edificado su propia cura de almas, secular, que goza de la afluencia de los hombres y, entre ellos, también de los cristianos. Estos en cambio han olvidado que les ha sido encomendado el ministerio de escuchar por aquel que es «el oyente» por excelencia, que quiere hacernos partícipes de su obra. Debemos escuchar con los oídos de Dios para poder hablar con la palabra de Dios.

Ayudarse

El *segundo servicio* que debemos prestarnos mutuamente en la comunidad cristiana es el de *ayudarnos* cada día. Pensamos en primer lugar en la ayuda material, en las pequeñas cosas de las que está hecha la vida de cualquier comunidad. Nadie debe creerse por encima de estas tareas. Temer perder el tiempo con ellas es conceder demasiada importancia al propio trabajo. Hemos de estar siempre dispuestos a aceptar que Dios venga a interrumpirnos. Repetidamente, incluso a diario, se cruzará en nuestro camino y trastocará nuestros proyectos humanos con sus propias exigencias. Absortos en nuestras importantes ocupaciones diarias, podemos pasar de largo como hizo el sacerdote ante el hombre que había caído en mano de los ladrones… quizás también enfrascados en la lectura de la Biblia. De este modo pasamos de largo ante el signo que Dios ha erigido bien visible en nuestra vida para mostrarnos que lo que cuenta no es nuestro camino sino el suyo.

No deja de sorprender que, a menudo, son precisamente los cristianos y teólogos los que creen que su trabajo es tan importante y urgente que no están dispuestos a dejarse interrumpir por nada. Con ello creen servir a Dios, pero, al hacerlo, desprecian «su camino torcido que, sin embargo, es recto» (Gottfried Arnold). No quieren saber nada de Aquel que se cruza en nuestro camino.

En definitiva, no debemos negar nuestra ayuda a quienes la necesiten, ni administrar nuestro tiempo por nuestra cuenta, sino dejar que sea Dios quien nos lo llene; esto forma parte de la escuela de la humildad. En el claustro, el voto de obediencia al superior despoja al monje del derecho a disponer de su tiempo. En la vida evangélica de comunidad, el voto es reemplazado por el libre servicio a los hermanos. Y sólo cuando nuestras manos no vacilen en brindarse con solicitud diaria a la obra de amor y misericordia, podrá nuestra boca pronunciar, con la alegría y la fuerza convincentes de la fe, la palabra de afecto que convence.

ACEPTAR AL PRÓJIMO

En *tercer lugar* hablaremos del servicio de *soportar* a los otros. «Sobrellevad los unos las cargas de los otros y cumpliréis así la ley de Cristo» (Gal 6, 2). La ley de Cristo es, por tanto, una ley del sobrellevar. Sobrellevar es soportar. Para el cristiano, y precisamente para él, el prójimo es una carga. Esto en ningún caso lo es para el pagano. Este evita que el prójimo sea para él una carga. El cristiano, en cambio, debe soportar la carga del prójimo, debe soportar a su hermano. Sólo así, como carga, el prójimo se convierte verdaderamente en un hermano y no en un objeto que se posee.

La carga de los hombres resultó tan pesada para el mismo Dios, que caminó hasta la cruz bajo su peso. Dios verdaderamente nos ha llevado y soportado en el cuerpo de Jesucristo. Nos ha llevado como una madre a su hijo, como un pastor a su oveja perdida. Dios acogió a los hombres, en tanto que ellos le abatieron, pero quedó con ellos y ellos con él. Soportándolos, permaneció en comunidad con ellos. Esta es la ley de

Cristo que se cumplió en la cruz. De esta ley partici-
pan los creyentes. Ellos deben sobrellevar y soportar
al prójimo pero –y es lo más importante– pueden hacerlo ya, puesto que esta ley se cumplió por la muerte
de Jesucristo.

Sorprende la frecuencia con que aparece en la Escritura la palabra «sobrellevar», «soportar». Y es que
con esa sola palabra se puede expresar toda la obra
de Jesucristo. «Ciertamente fue él quien tomó sobre sí
nuestras enfermedades y cargó con nuestros dolores, y
nosotros le tuvimos por castigado y herido por Dios
y humillado… él soportó el castigo que nos trae la
paz» (Is 53, 4-5). Por esto, la vida entera del cristiano
es también vida bajo la cruz. Así se realiza la comunidad del cuerpo de Cristo, la comunidad bajo la cruz,
en la que nosotros aceptamos y llevamos las cargas
unos de otros. De lo contrario, no somos una comunidad cristiana y renegamos de la ley de Cristo.

Lo que constituye en primer lugar una carga para
el cristiano es la *libertad* del prójimo, de la que ya
hemos hablado. Esta libertad va en contra de nuestra tendencia a dominar sobre los otros; sin embargo,
debemos aceptarla. Podríamos deshacernos de esta
carga y atentar contra la libertad del prójimo intentando formarle a nuestra imagen. Debemos, sin embargo, dejar que sea Dios quien cree su imagen en él.
Respetaremos así la libertad de sus criaturas mientras
llevamos la carga que esta libertad supone para nosotros. Entendemos por libertad del prójimo todo lo que

constituye su naturaleza, sus cualidades, sus talentos, incluidas también las debilidades y rarezas que tanto ponen a prueba nuestra paciencia, también todas las fricciones, contrastes y choques que puedan surgir entre él y nosotros. Sobrellevar la carga del prójimo significa, por tanto, soportar la realidad del otro como criatura, aceptarla y alegrarnos de hacerlo.

Esto resultará especialmente difícil en una comunidad que agrupe a fuertes y a débiles en la fe. Que el débil no juzgue al fuerte; que el fuerte no desprecie al débil. Que el débil se cuide del orgullo, y el fuerte de la indiferencia. Que nadie busque su propio derecho. Si cae el fuerte, que el débil se guarde de aplaudir en su corazón; si cae el débil, que el fuerte lo ayude amistosamente a levantarse. El uno necesita de tanta paciencia como el otro. «¡Ay del solo, que si cae, no tiene quien lo levante!» (Ecl 4, 10). La Sagrada Escritura subraya este deber de soportar a los otros en su libertad cuando exhorta: «Soportándoos los unos a los otros» (Col 3, 13). «Con toda humildad, mansedumbre y longanimidad, soportándoos los unos a los otros en caridad» (Ef 4, 2).

EL PECADO DEL PRÓJIMO

Por el abuso de su libertad, es decir, por el pecado, el prójimo se convierte también en carga para el seguidor de Jesús. El pecado de nuestro prójimo es aún más difícil de soportar que su libertad, porque destruye la comunión que tenemos con Dios y con los hermanos. Nosotros hemos de soportar aquí la ruptura de la comunidad que Jesucristo ha instituido entre nosotros.

Sin embargo, también aquí puede manifestarse todo el poder de la gracia sobre aquellos que saben soportar el pecado del hermano. El no menospreciar al pecador, sino atreverse a soportarlo, significa no darlo por perdido, aceptarlo como tal y facilitarle, por el perdón, el acceso a la comunidad. «Hermanos, si alguno fuere hallado en falta... corregidle con espíritu de mansedumbre» (Gal 6, 1).

Porque Cristo nos soportó y aceptó como pecadores, nosotros podemos soportar y aceptar a los pecadores en su Iglesia, fundada sobre el perdón de los pecados. Ya no necesitamos juzgar los pecados de los otros, sino que se nos concede el poder soportarlos. Esto es una gracia, pues ¿qué pecado que se comete en la comunidad no nos obliga a examinarnos y a juzgarnos a nosotros mismos de nuestra falta de perseverancia en la oración y en la intercesión, de nuestra negligencia en el servicio, la amonestación y el consuelo a nuestros hermanos, en una palabra, de todo el mal que hemos hecho a la comunidad, a nuestro prójimo y a nosotros mismos, por nuestro pecado y nuestra indisciplina personal?

Todo pecado personal es una carga y una acusación que pesa sobre toda la comunidad, por eso la Iglesia se alegra por cada nuevo dolor, por cada nueva carga que soporta por el pecado de sus miembros. Porque así se sabe juzgada digna de llevar y perdonar los pecados. «Mira, tú soporta a todos, como ellos también te soportan a ti; todas las cosas, buenas o malas, nos son comunes a todos» (Lutero).

El ministerio del perdón de los pecados es un servicio diario. Se ejerce silenciosamente en los ruegos que cada uno eleva por los demás; y el cristiano que nunca se cansa de prestar este servicio puede estar seguro de que sus hermanos ruegan también por él. Aquel que soporta a los otros sabe que los otros también le soportan a él, y esto es lo que le da fuerzas para poder hacerlo.

Cuando estas tres tareas que caracterizan el servicio cristiano –escuchar, ayudar y soportar a los hermanos– se cumplen fielmente, resulta posible cumplir también *la última y más importante: el servicio de la palabra de Dios*.

La palabra de Dios

Nos referimos aquí a la palabra libre, entre dos personas, no vinculada a un oficio, lugar o tiempo determinados. Se trata de esa situación, única en el mundo, en que un hombre, con palabras humanas, testifica a su semejante la realidad de Dios, su consuelo y sus caminos, su bondad y su severidad. Muchos son los peligros que pueden presentarse aquí. ¿Cómo podría ser nuestra palabra la apropiada a una situación, si antes no hemos escuchado a aquellos a quienes queremos exhortar?; ¿cómo podría ser fidedigna y persuasiva, si está en contradicción con nuestra actitud en la ayuda mutua fraterna?; y ¿cómo, finalmente, podría ser liberadora y salvadora, si en lugar de proceder de la caridad que lo soporta todo, procede de la impaciencia y del espíritu de dominio? Por el contrario, cuando hemos sabido escuchar, servir y soportar a nuestro prójimo, tenemos más fácilmente deseos de callarnos.

Nuestra profunda desconfianza hacia todo cuanto sea palabra, sofoca a menudo lo que deberíamos decir personalmente al hermano. ¿Qué puede aportar una débil palabra humana al otro? ¿Debemos multiplicar los discursos vacíos? ¿Debemos, ante una angustia real, pedir ayuda a los profesionales de la palabra? ¿Existe algo más peligroso que abusar de la palabra de Dios? Aunque, por otro lado, ¿hay algo más grave que quedarse callado cuando se debería hablar? ¡Cuánto más fácil resulta la palabra desde el pulpito que la que voluntaria y libremente pronunciamos, debatiéndonos entre la responsabilidad de callarnos y el temor de hablar!

A este temor de asumir la responsabilidad de hablar en nombre de Dios y de su palabra, se añade el temor ante los otros. ¡Cuánto cuesta a menudo pronunciar el nombre de Jesús delante de otros! También aquí se mezcla lo falso con lo verdadero. ¿Quién nos autoriza –pensamos– a introducirnos en la vida del otro? ¿Tenemos derecho a abordarlo y ponerlo entre la espada y la pared? Afirmar de entrada que todos tienen este derecho y este deber no sería dar pruebas de comprensión en la fe. El espíritu de coacción podría reaparecer aquí bajo su aspecto más detestable. Creemos que el prójimo tiene el derecho y el deber de defenderse contra las intromisiones inoportunas en su vida interior. Posee su propio misterio que no debe profanarse sin gran perjuicio, y que él no puede entregar sin destruir su personalidad. Se trata, más que del misterio de su saber o de su sensibilidad, del misterio de su libertad, de su salvación, de su ser profundo. Y sin embargo debe reconocerse que este escrúpulo, en sí legítimo, tiene una afinidad peligrosa con aquellas palabras de Caín: «¿Acaso soy yo el guardián de mi hermano?». El respeto aparentemente justificado ante la libertad del prójimo puede caer bajo la maldición de Dios: «Te pediré cuentas de su sangre» (Ez 3, 18).

Por esta razón una comunidad cristiana exige a sus miembros que se den testimonio personal respecto a la palabra y a la voluntad de Dios. Es totalmente impensable que los hermanos se abstengan de hablar entre ellos precisamente de aquello que les es más vital. Sería anticristiano negar deliberadamente a un hermano este servicio fundamental. Si la palabra no quiere aflorar a nuestros labios, deberíamos preguntarnos si, a fin de cuentas y a pesar de todo, no consideramos a nuestro hermano únicamente en su dignidad humana que no queremos coaccionar, olvidándonos así de lo más importante: que nuestro hermano, por respetable, encumbrado o ilustre que sea, es un hombre como nosotros; un pecador necesitado de la palabra de Dios y que en sus tribulaciones semejantes a las nuestras, tiene necesidad de ayuda, de consuelo y de perdón.

La base desde la que hemos de partir es la siguiente: saber que mi hermano es un pecador abandonado y perdido en toda su dignidad humana si no recibe ayuda. Esto no significa desacreditar ni deshonrar su honor; al contrario, es tributarle el único verdadero que posee el ser humano: hacerle saber que, aunque es pecador, está destinado a tomar parte en la misericordia y gloria de Dios, a ser hijo suyo.

El conocimiento de la verdadera situación del prójimo da a nuestra palabra la libertad y franqueza necesarias. Nuestro propósito se orienta a la ayuda que necesitamos unos de otros. Nos mostramos el camino que Cristo nos manda seguir. Nos ponemos mutuamente en guardia contra la desobediencia y todas sus mortales consecuencias. Nuestra palabra es, al mismo tiempo, dulce y exigente, porque conocemos bien la bondad y severidad de Dios.

¿Por qué tenernos miedo unos a otros, cuando solamente debemos temer a Dios? ¿Por qué temer no ser comprendidos, si nosotros hemos comprendido perfectamente cuando alguien –en ocasiones con palabras torpes– nos ha hablado del consuelo y de la amonestación de Dios? ¿Por qué, si no, Dios nos ha hecho el regalo de la fraternidad cristiana?

Cuanto más aprendemos a dejarnos interpelar por el prójimo y aceptar con humildad y reconocimiento sus duros reproches y amonestaciones, tanto más libres y objetivos seremos en aquello que tengamos que decirle. Aquel que por susceptibilidad o amor propio rechaza la palabra del hermano, tampoco es capaz de decir la verdad al otro con humildad por temor a ser rechazado y tener así un nuevo motivo de sentirse herido. En nuestra relación con el prójimo, la susceptibilidad toma necesariamente la forma de adulación y, en consecuencia, de traición y mentira. La verdad y el amor son, por el contrario, el clima de la humildad. La palabra de Dios sigue siendo la fuerza que la inspira y por la que se deja guiar hacia el prójimo. Y puesto que no busca ni teme nada para sí mismo, el humilde es capaz de ofrecer a otros la ayuda de la palabra.

La amonestación resulta necesaria siempre que el hermano cae en un pecado manifiesto; de hecho, es algo mandado por Dios. La disciplina debe comenzar a ejercerse a partir del ámbito más estrecho de la comunidad. Se trata de hablar clara y firmemente siempre que la comunidad familiar –y por lo mismo la Iglesia– está amenazada por modos de vivir o de pensar que reniegan de la palabra de Dios. Nada puede ser más cruel que esa forma de indulgencia que abandona al prójimo en su pecado. Y nada puede ser más caritativo que la seria reprimenda que le saca de su existencia culpable. Dejando que entre nosotros únicamente la palabra de Dios despliegue todo su poder de juicio y salvación, estamos cumpliendo un acto de misericordia, y ofrecemos al prójimo una última posibilidad de auténtica comunión fraterna. No somos nosotros los que juzgamos; sólo Dios juzga, y su juicio es recto y saludable.

Hasta el último momento no podemos hacer otra cosa que servir al hermano sin elevarnos nunca sobre él; y continuaremos sirviéndole incluso cuando debamos transmitirle la palabra que condena y separa, rompiendo de este modo, por obediencia a Dios, nuestra comunión con él. Porque nosotros sabemos que no es nuestro amor humano lo que nos mantiene fieles al prójimo, sino el amor de Dios que a través del juicio llega al hombre. La palabra de Dios, al mismo tiempo que le juzga, está sirviendo al hombre; y es aceptando el juicio de Dios como el hombre recibe la ayuda que necesita. Aquí es donde se ponen de manifiesto los límites de nuestras posibilidades de acción para con el prójimo: «Nadie puede rescatar al hombre de la muerte, nadie puede dar a Dios su precio, pues muy elevado es el rescate de la vida, y no se llegará jamás a él» (Sal 49, 7-8).

Esta abdicación del hombre confirma y presupone que nuestro hermano no puede recibir ayuda y redención más que de Dios y su palabra. No tenemos en nuestras manos el destino de nuestro prójimo, y cuando las ataduras tienen que disolverse, nosotros no podemos impedirlo. Dios, sin embargo, une en la ruptura, religa en el mismo acto de la separación, concede su gracia en el juicio. No obstante, ha puesto su palabra en nuestra boca, y quiere que sea pronunciada por nosotros. Si nos guardamos su palabra, la sangre de nuestro hermano caerá sobre nosotros. Si, por el contrario, la proclamamos, Dios se servirá de nosotros para salvar a nuestro hermano. «Quien convierte a un pecador de su errado camino, salvará su alma de la muerte y cubrirá la muchedumbre de sus pecados» (Sant 5, 20).

SERVIR A DIOS

«El que de vosotros quiera ser el primero, sea siervo de todos» (Mt 10, 43). Jesús ha unido así la autoridad en la comunidad al servicio fraterno. No existe verdadera autoridad espiritual sino en el servicio de escuchar, ayudar, soportar a los otros y anunciarles la palabra de Dios. En la comunidad no existe lugar alguno para el culto a la personalidad, por muy importantes que sean las cualidades y dones naturales que la adornen; es totalmente profano y envenena la comunidad. El anhelo –tan difundido en nuestros días– de tener «hombres sacerdotales», «figuras episcopales», «fuertes personalidades» dimana con frecuencia de la enfermiza necesidad de admirar a los hombres y tener una autoridad humana visible, ya que se considera demasiado humilde la del servicio. Nada contradice este anhelo más vigorosamente que el Nuevo Testamento en su descripción del obispo (1 Tim 3, 15). Nada encontramos ahí sobre personalidades espirituales dotadas de brillantes cualidades, de talento excepcional, de fuerte encanto. El obispo es el hombre sencillo, sano, fiel en la fe y en la vida, que ejerce rectamente su ministerio. Toda su autoridad reside en su servicio. Nada hay de extraordinario en el hombre como tal.

Buscar otro tipo de autoridad en la Iglesia es querer restablecer una forma directa de relación entre los creyentes, un lazo pura y simplemente humano. Ahora bien, es justamente en el ámbito de la autoridad donde esa tendencia resulta más dañina. No en vano, la verdadera autoridad sabe que no puede subsistir más que estando al servicio del único que la posee. Se sabe unida totalmente a la palabra de Jesús: «Uno solo es vuestro maestro, Cristo, y todos vosotros sois hermanos» (Mt 23, 8).

La comunidad no necesita personalidades brillantes, sino fieles servidores de Jesucristo y de sus hermanos: y no está falta de los primeros, sino de los segundos. Por lo tanto, ella no entregará su confianza más que a aquel que quiere ser un simple servidor de la palabra de Jesús, pues sabe así que no será guiada por sabiduría y vanidad humanas, sino por la palabra del buen pastor. El problema de la confianza espiritual que tan estrecha relación guarda con el problema de la autoridad, encuentra su solución en la fidelidad con que el hombre se pone al servicio de Jesucristo, pero jamás en los dones extraordinarios de que dispone.

Autoridad pastoral sólo podrá hallarla aquel servidor de Jesús que no busca su propia autoridad; aquel que, sometido a la autoridad de la palabra de Dios, es un hermano entre los hermanos.

5

CONFESIÓN
Y SANTA CENA

«Confesaos unos a otros vuestros pecados» (Sant 5, 16). Quedarse a solas con el propio mal es quedarse completamente solo. Y puede ser que, a pesar del culto comunitario, la oración en común y la comunión en el servicio, sigan existiendo cristianos que permanezcan solos, sin realmente llegar a formar una comunidad. ¿Por qué? Porque si bien están dispuestos a formar parte de una comunidad de creyentes, de gente piadosa, no lo están para formar una comunidad de impíos y pecadores.

La comunidad piadosa, en efecto, no permite a nadie ser pecador. Por esta razón cada uno se ve obligado a ocultar su pecado tanto a sí mismo como a la comunidad. No nos está permitido ser pecadores, y muchos cristianos se horrorizarían si de pronto descubriesen entre ellos un auténtico pecador. Por eso optamos por quedarnos solos con nuestro pecado, a

costa de vivir en la mentira y en la hipocresía; porque, aunque nos cueste reconocerlo, somos efectivamente pecadores.

Mas he aquí que la gracia del evangelio –aunque
sea difícil de comprender por el piadoso– nos coloca
ante la verdad y nos dice: «Tú eres un pecador, un pecador incurable; sin embargo, tal como eres puedes
llegar a Dios, que te ama. Te quiere tal como eres, sin
necesidad de que hagas nada o des nada; te quiere a
ti personalmente, sólo a ti. 'Dame, hijo mío, tu corazón' (Prov 23, 26). Dios ha venido hasta ti, que eres
pecador, para salvarte». ¡Alégrate! Afirmando en ti la
verdad, este mensaje te libera. Ante Dios no puedes
ocultarte; de nada sirve la máscara que llevas ante los
hombres. Él quiere verte tal como eres para salvarte.
Ya no tienes necesidad de mentirte a ti mismo ni a
los otros como si estuvieses sin pecado. Y da gracias
a Dios de que te sea permitido ser pecador, porque
Dios, aunque aborrece el pecado, ama al pecador.

Jesucristo se hizo nuestro hermano en la carne
para que nos uniésemos a él mediante la fe. En él lle-
gó el amor de Dios al pecador. Ante él los hombres
han podido manifestarse pecadores y así han podido
recibir ayuda. Cristo ha hecho derribar todas las apariencias. De esta forma, el evangelio de Jesucristo ha
puesto de manifiesto la miseria del pecador y la misericordia de Dios. De esta verdad debería vivir en
adelante su Iglesia. Por ello el Señor concedió a los
suyos el poder de confesar y perdonar los pecados en

su nombre. «A quienes perdonéis los pecados, les serán perdonados; a quienes se los retengáis, les serán retenidos» (Jn 20, 23).

Por esta promesa Cristo nos ha dado la comunidad, y con ella al hermano, como un medio de gracia. El hermano ocupa desde entonces el lugar de Cristo. Ya no necesito, por tanto, fingir ante él. Puedo ser ante él el pecador que efectivamente soy porque aquí reinan la verdad de Jesucristo y su misericordia. Cristo se hizo nuestro hermano para socorrernos, y desde entonces, a través de él, nuestro hermano se convierte para nosotros en Cristo, con toda la autoridad de su encargo. El hermano está ante nosotros como signo de la verdad y de la gracia de Dios. Nos es dado como ayuda. Escucha nuestra confesión en lugar de Cristo y guarda, como Dios mismo, el secreto de nuestra confesión. Por eso cuando me dirijo a mi hermano para confesarme, me dirijo al mismo Dios.

La invitación a confesarse con el hermano y a recibir el perdón fraternal en el seno de la comunidad cristiana es una invitación a aceptar la gracia de Dios en la Iglesia.

LA CONFESIÓN

La confesión hace posible *el acceso a la comunidad.* El pecado quiere estar a solas con el hombre. Lo separa de la comunidad. Cuanto más solo está el hombre, tanto más destructor es el poder que el pecado ejerce sobre él; tanto más asfixiantes sus redes, tanto más desesperada la soledad. El pecado quiere pasar desapercibido; rehúye la luz. Se encuentra a gusto en la penumbra de las cosas secretas, donde envenena todo el ser. En este sentido, una comunidad simplemente piadosa está lejos de ser invulnerable. En la confesión, en cambio, la luz del evangelio irrumpe en las tinieblas y en el hermetismo del corazón. El pecado es puesto a la luz. Lo callado es revelado, confesado. Todo lo oculto es puesto a la luz del día. La lucha es dura hasta que el pecado sube a la superficie. «Pero Dios quebranta puertas de bronce y cerrojos de hierro» (Sal 107, 16).

Se puede decir que en la confesión el pecado pierde definitivamente todo resto de autojustificación. El pecador se libera, abandona todo lo que hay en él de malo, abre su corazón a Dios y encuentra el perdón de todos sus pecados en la comunión con Jesucristo y con el hermano que le escucha. Una vez revelado y confesado, el pecado ha perdido todo su poder. Ha sido reconocido y juzgado. Ya no puede quebrantar más la comunidad. En adelante es la comunidad quien sobrelleva el pecado del hermano perdonado. Este ya no está solo con su pecado pues se ha «rendido» y entregado a Dios en la confesión. Le ha sido quitado su pecado, y en adelante forma parte de la comunidad de pecadores que viven de la gracia de Dios bajo la cruz de Jesucristo. Ahora le está permitido ser pecador y, sin embargo, gozar de la gracia divina, confesar sus pecados y encontrar así una posibilidad de comunidad. Permaneciendo oculto el pecado le separaba de la comunidad; confesado, le ayuda a encontrar la verdadera comunión fraterna en Jesucristo.

Todo lo dicho aquí se refiere únicamente a la confesión personal entre dos creyentes. Para reencontrar la comunión con toda la comunidad no es necesario confesar los pecados ante todos los componentes de ésta, ya que es la comunidad entera la que encuentro en la persona del hermano ante quien me confieso y por quien soy perdonado. En comunión con él, disfruto ya de la comunión con toda la comunidad, con toda la Iglesia. Porque, al escucharme, el hermano no actúa en su propio nombre ni por su autoridad personal, sino por encargo de Jesucristo, válido para el conjunto de la comunidad, y que no ejerce sino en virtud de una vocación. Cuando un creyente se integra en la comunidad creada por la confesión fraterna, no conocerá más la maldición del aislamiento.

EL ACCESO A LA CRUZ

La confesión hace posible *el acceso a la cruz*. La raíz de todo pecado es el orgullo, la *superbia*; es decir, el querer vivir para mí solo, arrogarme el derecho a disponer de mí mismo, a odiar, a desear, a vivir o a morir a mi gusto. Todo nuestro ser, espíritu y carne, está inflamado de orgullo. La raíz de todo el mal que hay en nosotros es querer ser como Dios.

La confesión ante el hermano es una terrible humillación: duele, humilla y abate nuestro orgullo. Presentarse ante el hermano como un pecador produce
una vergüenza casi insoportable. Porque en nuestra
confesión de culpabilidad sobre pecados concretos,
nuestro prójimo puede asistir a la muerte dolorosa
de nuestro hombre viejo.

Este acto de humillación ante un tercero nos cuesta tanto que siempre desearíamos evitarlo. Nuestros
ojos están cegados hasta tal punto que son incapaces
de ver la promesa y la grandeza de semejante humillación. Porque no es otro que el mismo Jesucristo el
que, en nuestro lugar y públicamente, ha sufrido la
muerte ignominiosa del pecador. No tuvo vergüenza
de ser crucificado por nosotros como un malhechor;
y es precisamente nuestra comunión con él la que nos
conduce a sufrir esta muerte horrible de la confesión,
a fin de que participemos realmente de su cruz. La
cruz de Jesucristo aniquila todo orgullo.

Pero no podremos acceder a esta cruz mientras
tengamos miedo de ver morir públicamente, como en
el Gólgota, nuestro hombre viejo y nos avergonce-
mos de pasar por esta muerte nada gloriosa del pecador en la confesión. La confesión nos introduce en la
verdadera comunión de la cruz de Cristo y nos hace
aceptar nuestra cruz. Quebrantados en nuestra carne
y nuestro espíritu por la humillación sufrida ante el
hermano, o sea, ante Dios, podemos reconocer la cruz
de Jesús como el signo de nuestra salvación y nuestra

paz. Nuestro hombre viejo ha muerto, pero es Dios quien lo ha vencido. Desde ese instante participamos en la resurrección de Cristo y en la vida eterna.

LA RUPTURA CON EL PECADO

La confesión hace posible *el acceso a la nueva vida*. Una vez arrojado, confesado y perdonado el pecado, la ruptura con el pasado está consumada. «Las cosas viejas han pasado». Esta ruptura significa conversión. La conversión es el otro aspecto de la confesión. «Ahora todas las cosas se han hecho nuevas» (2 Cor 5, 17). Cristo ha realizado en nosotros un nuevo nacimiento.

Al igual que los primeros discípulos lo abandonaron todo ante la llamada de Jesús y le siguieron, así el cristiano lo abandona todo en la confesión y sigue a su Señor. Confesión implica imitación. La vida entre Jesucristo y los suyos da comienzo. «El que oculta sus pecados no prosperará; el que los confiesa y *abandona* alcanzará misericordia» (Prov 28, 13). Confesándolas, el cristiano comienza a abandonar sus transgresiones. El poder del pecado es quebrantado. Desde este momento una victoria sigue a otra.

El acontecimiento de nuestro bautismo vuelve a producirse en la confesión. Pasamos de la esclavitud de las tinieblas al reino de Jesucristo. Esta es la buena nueva, el mensaje gozoso. «Al atardecer nos visita el llanto; por la mañana, la alegría» (Sal 30, 5).

EL PERDÓN DE DIOS

La confesión hace posible *el acceso a la certeza*. ¿De dónde viene, pues, que nos sea más fácil confesar nuestros pecados a Dios que a nuestros hermanos? ¿No es Dios santo y sin pecado, juez justo del mal y enemigo de toda desobediencia? Nuestros hermanos, en cambio, son pecadores como nosotros y conocen por experiencia la realidad íntima y tenebrosa del mal, ¿no debería resultarnos más fácil acercarnos a ellos que a Dios? Si esto no es así, debemos preguntarnos si no nos habremos engañado a menudo al confesar nuestros pecados a Dios; si no nos habremos confesado nuestros pecados a nosotros mismos, y si no nos los habremos «perdonado» también nosotros. ¿Podría ser que nuestras recaídas y la debilidad de nuestra obediencia tuviesen su causa en que vivimos de un perdón ilusorio, de un autoperdón, y no del verdadero perdón de los pecados? El perdón que nos concedemos a nosotros mismos nunca nos hará capaces de romper con el pecado; solo la palabra de Dios, que juzga y perdona en la cruz, podrá hacerlo.

¿Quién nos dará, pues, la certeza de que la confesión y el perdón de nuestros pecados no ha sido cosa nuestra, sino del Dios vivo? Tal certeza nos la da Dios a través del hermano que recibe nuestra confesión. El hermano rompe el círculo de nuestro autoengaño. Quien confiesa sus pecados ante el hermano sabe que ya no está a solas consigo mismo; reconoce en la presencia del otro la presencia de Dios. Mientras permanezca a solas conmigo, la confesión de mis pecados sigue siendo equívoca. Es en presencia del hermano como mi pecado ha de mostrarse a la luz del día.

Y dado que llegará el momento en que esto tenga que ocurrir, es mejor que ocurra ahora, entre mi hermano y yo, no en el último día, en la claridad del juicio final. La gracia de poder confesar nuestros pecados al hermano nos evita los terrores del juicio final. Por el hermano puedo estar seguro ya en este mundo de la realidad de Dios, de su juicio y su perdón. Y al igual que la presencia del hermano garantiza la autenticidad de la confesión de mis pecados, también la promesa de perdón que él me da en nombre de Dios me da la certeza absoluta de que soy perdonado. Dios nos concedió la gracia de poder confesarnos unos con otros para que estuviésemos seguros de su perdón.

CONFESIÓN DE PECADOS CONCRETOS

Pero para que esta certeza del perdón sea real, es necesario que nuestra confesión sea *concreta*. La confesión general no sirve más que para hacer a los hombres más hábiles para justificarse a sí mismos. Yo no puedo conocer toda la perdición y corrupción de la naturaleza humana más que por la experiencia personal, es decir, en la experiencia de sus pecados concretos y precisos. Por eso una confrontación con los diez mandamientos será la mejor preparación para la confesión. Sin esto, corro el peligro de caer en la hipocresía y quedar sin consuelo. Jesús trataba con los pecadores públicos, publicanos y prostitutas. Ellos sabían para qué tenían necesidad de ser perdonados, y recibían el perdón como algo aplicado a un pecado muy concreto. Al ciego Bartimeo le preguntó: «¿Qué quieres que te haga?». Deberíamos poder responder claramente a esta pregunta antes de la confesión; ello nos permitirá recibir el perdón de pecados muy concretos que hemos cometido y, al mismo tiempo, el perdón de todos nuestros pecados, conocidos o no.

¿Significa todo esto que la confesión es una ley impuesta por Dios? No, constituye simplemente un medio del que Dios se vale para ofrecer su ayuda al pecador. Puede darse el caso –y es una gracia de Dios– de que alguien acceda a la certeza, a la vida nueva, a la cruz y a la comunidad sin la ayuda de la confesión fraterna. Puede darse el caso de que alguien no dude nunca de su arrepentimiento y perdón personal, y que reciba así, humillándose a solas con Dios, el perdón que éste concede. Pero aquí nos estamos refiriendo a los demás. El mismo Lutero pertenecía a los que no pueden imaginarse la vida cristiana sin la confesión fraterna. Dice en el *Catecismo mayor*: «Por esto, cuando exhorto a los creyentes a que se confiesen sus pecados unos con otros, les exhorto simplemente a ser cristianos». La ayuda que Dios pone a nuestra disposición por medio de la confesión fraterna es ofrecida a todos los que, pese a su esfuerzo, no consiguen acceder al gozo de la comunidad, de la cruz, de la vida nueva y de la certeza. Ciertamente que la confesión se deja a la libertad de los creyentes, pero ¿se puede rehusar sin perjuicio una ayuda que Dios mismo ha creído necesario ofrecer?

CON QUIÉN CONFESARSE

¿A quién debemos confesarnos? De acuerdo con la promesa de Jesús, todo cristiano puede convertirse en confesor de sus hermanos. Pero, ¿nos comprenderá? Puede ser que el hermano que escucha nuestra confesión posea una vida cristiana muy superior a la nuestra. ¿No le incapacitaría precisamente mi pecado personal para comprenderme, y le apartaría de mí? Para el creyente que vive bajo la cruz de Jesús y que ha reconocido en ella el abismo de impiedad del corazón humano y del propio corazón, ningún pecado puede serle ya extraño; quien se haya horrorizado una sola vez del propio pecado que crucificó a Jesús, ya no puede espantarse ante los pecados de los otros por muy graves que sean. Por medio de la cruz de Jesús ha llegado a conocer el corazón humano. Conoce la inmensidad de su perdición, envenenada por el vicio y la debilidad, y su extravío por caminos malditos, pero sabe también el precio de la gracia y la misericordia que le ha devuelto a Dios, y también que sólo el creyente que permanece bajo la cruz puede recibir mi confesión.

No es la experiencia de la vida, sino la de la cruz la que hace al confesor. El mejor conocedor del hombre sabe infinitamente menos del corazón humano que el creyente que tan sólo vive del conocimiento de la cruz de Cristo. Porque existe algo que la mayor agudeza, el mayor talento y la mayor pericia psicológica jamás podrán conseguir: entender la realidad del pecado. La ciencia psicológica conoce la angustia, la debilidad y la desesperación del hombre, pero no sabe lo que es estar sin Dios. En consecuencia, tampoco sabe que, abandonado a sí mismo, el hombre camina hacia la perdición y que sólo el perdón puede salvarle. Esto únicamente lo sabe el cristiano.

Ante el psicólogo tan sólo soy un enfermo; ante el hermano en la fe me está permitido ser un pecador. El psicólogo comenzará a escudriñar mi corazón, pero por más que se empeñe nunca dará con la verdadera causa del mal. El hermano, sin embargo, sabe de antemano cuando acudo a él: «Aquí viene un pecador como yo, un sin-Dios que quiere confesarse y busca el perdón de Dios». El psicólogo me observa como si para él no existiese Dios; el hermano en la fe me ve ante Dios, que en la cruz juzga y perdona. Lo que nos hace tan lamentablemente incapaces de recibir la confesión no es la falta de conocimientos psicológicos, sino la falta de amor a Cristo crucificado.

El contacto diario y profundo con la cruz de Cristo despoja al cristiano tanto del espíritu humano de juicio como del de indulgencia, infundiéndole una actitud de severidad y amor conforme al espíritu de Dios. Cada día el creyente hace la experiencia de la muerte y resurrección del pecado, justificado por la gracia. Así es empujado a amar a sus hermanos con la misma misericordia de Dios que, mediante la muerte, conduce al pecador a la vida nueva. ¿Quién puede, entonces, escuchar nuestra confesión? Aquel que vive bajo la cruz. Allí donde se vive de la predicación de la cruz, la confesión fraterna surge por sí misma.

EL PERDÓN DE LOS PECADOS

La comunidad cristiana que practica la confesión debe guardarse de dos peligros. El primero atañe al confesor. No es bueno que una sola persona desempeñe esta función para toda la comunidad. Aparte de que no dispondría de tiempo material suficiente, correría el riesgo de considerar la confesión como una simple formalidad, o caería en el abuso de ejercer una tiranía espiritual sobre las almas. Para evitar este peligro, quien no practique la confesión debe abstenerse de recibirla. Sólo quien ha sabido primero humillarse puede escuchar sin peligro una confesión.

El segundo peligro atañe al que confiesa. Que evite, por su propia salvación, hacer de la confesión una obra piadosa. Esto sería una forma impúdica, estéril y abominable de entregar su corazón a otro; sería hacer de la cosa más sagrada una charlatanería deshonesta. La confesión convertida en una obra piadosa es una idea del diablo. Para atrevernos a penetrar en este abismo de la confesión, no podemos exigir otra cosa que la gracia y la ayuda ofrecida por Dios y su promesa de perdón. La confesión considerada como obra meritoria de piedad entraña la muerte espiritual; practicada sólo sobre la base de la promesa de Dios, da la vida. No tiene más que una razón de ser, una única finalidad: el perdón de los pecados.

LA COMUNIDAD EUCARÍSTICA

Aunque es verdad que la confesión constituye una acción en sí misma completa, cumplida en nombre de Cristo y practicada en la comunidad tantas veces como sea necesaria, sin embargo, tiene como objetivo especial preparar a la comunidad de los creyentes para participar en la *santa cena*. Reconciliados con Dios y con los hombres, los cristianos están en disposición de recibir el cuerpo y la sangre de Jesucristo. Jesús exige que nadie se acerque al altar sin estar reconciliado con sus hermanos. Esta exigencia, que es válida para la oración y el culto en general, urge con mayor razón para el sacramento.

El día que precede a la santa cena, los miembros de la comunidad cristiana harán bien en reunirse para pedirse mutuamente perdón de los propios pecados. Si se rechaza este reencuentro con los hermanos es imposible acercarse a la mesa del Señor en la disposición espiritual necesaria. Para recibir juntos la gracia de

Dios por medio del sacramento es necesario que los creyentes hayan destruido todo fermento de ira, celos, maledicencia y hostilidad que haya entre ellos. Aunque pedir perdón a un hermano no significa que se deba hacer ahora una confesión, y Jesús formalmente no exige más, la preparación para la santa cena podrá despertar en el creyente la necesidad de adquirir una certeza total sobre el perdón de ciertos pecados concretos que le angustian y atormentan, y que sólo Dios conoce. En este caso, se nos recuerda que Dios nos ofrece la posibilidad de confesarnos con alguno de nuestros hermanos y de recibir su absolución.

Por tanto, la invitación a la confesión fraterna, hecha en nombre de Jesús, va dirigida a todos los que el pecado ha sumergido en una angustia y un desamparo particularmente graves, y que buscan la certeza del perdón. El poder de perdonar los pecados, que le valió a Jesús ser acusado de blasfemo, se manifiesta ahora en la comunidad cristiana por la presencia decisiva de su Señor. Cada uno puede, en nombre de Dios Padre, Hijo y Espíritu Santo, otorgar a su hermano el perdón de sus pecados, y los ángeles se alegrarán por el pecador arrepentido. Así, el tiempo de preparación para la santa cena será un tiempo de exhortación, consuelo y oración, lleno a la vez de angustia y de alegría.

El día de la santa cena es un día de fiesta para la comunidad cristiana. Reconciliados plenamente con Dios y con los hermanos, los creyentes reciben el don del cuerpo y la sangre de Jesucristo, es decir, el perdón, la vida nueva y la bienaventuranza eterna. Sus relaciones con Dios y con los hombres se transforman. La comunidad eucarística constituye el cumplimiento supremo de la comunidad cristiana. El vínculo que une a los fieles comulgantes permanecerá en la eternidad. La comunidad cristiana ha alcanzado su meta. El gozo de Cristo y su Iglesia es completo.

Bajo la autoridad de la palabra de Dios, la vida comunitaria halla en el sacramento su plenitud.

ÍNDICE
DE CITAS BÍBLICAS

ÍNDICE DE NOMBRES